ANDREAS GRYPHIUS

Absurda Comica
Oder
Herr Peter Squentz

SCHIMPFSPIEL

KRITISCHE AUSGABE

HERAUSGEGEBEN VON
GERHARD DÜNNHAUPT
UND KARL-HEINZ HABERSETZER

PHILIPP RECLAM JUN. STUTTGART

Universal-Bibliothek Nr. 7982
Alle Rechte vorbehalten. © 1983 Philipp Reclam jun., Stuttgart
Gesamtherstellung: Reclam, Ditzingen. Printed in Germany 1983
ISBN 3-15-007982-9

Absurda Comica.

Oder

Herr Peter Squentz/

Schimpff-Spiel.

Titel der Ausgabe von 1663

[Aijʳ]   Großgünstiger Hochgeehrter
Leser.

DEr nunmehr in Deutschland nicht unbekandte / und seiner Meynung nach Hochberühmbte Herr Peter Squentz wird dir hiermit übergeben. Ob seine Anschläge gleich nicht alle so spitzig / als er sich selber düncken låst / sind doch selbte bißher auff unterschiedenen Schauplätzen nicht ohne sondere Beliebung und Erlustigung der Zuseher angenommen und belachet worden: Warumb denn hier und dar Gemütter gefunden / welche sich vor gar seinen Vater auszugeben weder Scheu noch Bedencken getragen. Worinnen er weit glückseliger gewesen / als so nicht wenig Kinder dieser Zeit / die auch leibliche Eltern / wenn sie vornehmlich etwas zu frühe ankommen / vor die ihrigen nicht erkennen wollen: Damit er aber nicht länger Frembden seinen Ursprung zu dancken habe / so wisse; Daß der umb gantz Deutschland wolverdienete / und in allerhand Sprachen und Mathematischen Wissenschafften auszeübete Mann / Daniel Schwenter / selbigen zum ersten zu [Aijᵛ] Altdorff auff den Schauplatz geführet / von dannen er je länger je weiter gezogen / biß er endlich meinem liebsten Freunde begegnet / welcher ihn besser ausgerüstet / mit neuen Personen vermehret / und nebens einem seiner Traurspiele aller Augen und Urtheil vorstellen lassen. Weil er aber hernach / als selbter mit wichtigern Sachen bemühet / von ihm gantz in vergessen gestellet: Habe ich mich erkühnet / ihn Herrn Peter Squentz aus gedachten meines Freundes Bibliothec abzufordern / und durch öffentlichen Druck dir / Großgünstiger und Hochgeehrter Leser / zu übersenden / wirst du ihn mit deiner Begnügung auffnehmen / so erwarte mit ehistem den

18 *Schwenter:* Zur Autorschaftsfrage s. Nachw. S. 66 f.
23 *Traurspiele:* vermutlich *Carolus Stuardus*; vgl. Nachw. S. 72.

unvergleichlichen Horribilicribrifan, von dessen Pinsel ab-
gemahlet / dem Herr Peter Squentz die letzten Struche seiner
Vollkommenheit zu dancken / und bleib hiermit gewogen
deinem stets Dienst ergebenen

Philip-Gregorio Riesentod.

---

1 *Horribilicribrifan:* früheste Erwähnung von Gryphius' anderem Scherzspiel; vgl. *Horribilicribrifax Teutsch*, hrsg. von Gerhard Dünnhaupt, Stuttgart 1976 [u. ö.] (Reclams Universal-Bibliothek, Nr. 688 [2]).
5 *Riesentod:* Zur Auflösung dieses Pseudonyms vgl. Nachw. S. 69 ff.

Spielende Personen.

Herr Peter Squentz / Schreiber und Schulmeister zu Rum-
  pels-Kirchen / Prologus und Epilogus.
Pickelhåring / deß Kôniges lustiger Rath / Piramus.
Meister Krix / über und über / Schmied / der Monde.
Meister Bulla Butåin / Blasebalckmacher / die Wand.
Meister Klipperling / Tischler / der Löwe.
Meister Lollinger / Leinweber und Meister Sånger / der
  Brunn.
Meister Klotz-George / Spulenmacher / Thisbe.

                    Zusehende Personen.

Theodorus, der Kônig.
Serenus, der Printz.
Cassandra, die Kônigin.
Violandra, Princeßin.
Eubulus, der Marschalck.

Absurda Comica.

oder

Herr Peter Squentz.

Erster Auffzug.

*Peter Squentz, Pickelhåring | Meister Kricks
über und über | Meister Bulla-Butån, Mei-
ster Klipperling | Meister Lollinger |
Meister Klotz-George.*

P. Squentz. EDler / Woledler / Hochedler / Woledelgeborner Herr Pickelhåring / von Pickelhåringsheim und
Saltznasen.

Pickelhåring. Der bin ich.

P. Sq. Arbeitsamer und Armmåchtiger Mester Kricks /
über und über / Schmied.

M. Kricks über. Der bin ich.

P. Sq. Tugendsamer / auffgeblasener und windbrechender
Mester Bullabutån / Blasebalckenmacher.

Bullabutån. Der bin ich.

P. Sq. Ehrwürdiger / durchschneidender und gleichma-
chender Mester Klipperling / Wolbestelter Schreiner des
weitberühmbten Dorffes / Rumpels-Kirchen.

M. Klipperl. Der bin ich.

P. Sq. Wolgelahrter / vielgeschwinder und hellstimmiger
Mester Lollinger / Leinweber und Mester Sånger.

Loll. Der bin ich.

P. Sq. Treufleissiger / Wolwürckender / Tuchhaffter
Mester Klotz-George / Spulenmacher.

M. Klotz-George. Der bin ich.

[3] P. Sq. Verschraubet euch durch Zuthuung euer Füsse

und Niederlassung der hindersten Oberschenckel auff
herumbgesetzte Stůhle / schlůsset die Repositoria ewers
gehirnes auff / verschlisset die Måuler mit dem Schloß des
Stillschweigens / setzt eure 7. Sinnen in die Falten / Herr
Peter Squentz (cum titulis plenissimis) hat etwas nach-
denckliches anzumelden.

P. H. Ja / ja / Herr Peter Squentz ist ein Tieffsinniger
Mann / er hat einen Anschlågigen Kopff / wenn er die
Treppen hinunter fållt / er hat so einen ansehnlichen Bart /
als wenn er Kônig von Neu-Zembla wåre / es ist nur zu
bejammern / daß es nicht wahr ist.

P. Sq. Nach dem ich zweiffels ohn durch Zuthuung der
alten Phoebussin und ihrer Tochter der großmåulichen
Frau Fama Bericht erlanget / daß Ihre Majest. unser
Gestrenger Juncker Kônig ein grosser Liebhaber von
allerley lustigen Tragoedien und pråchtigen Comoedien
sey / als bin ich willens / durch Zuthuung euer Geschick-
ligkeit eine jåmmerlich schône Comoedi zu tragiren / in
Hoffnung nicht nur Ehre und Ruhm einzulegen / sondern
auch eine gute Verehrung fůr uns alle und mich in specie
zuerhalten.

B. b. Das ist erschrecklich wacker! ich spiele mit / und solte
ich 6. Wochen nicht arbeiten.

P. H. Es wird ůber alle massen schône stehen! wer wolte
nicht sagen / daß unser Kônig trefliche Leute in seinem
Dorffe håtte.

M. K. ůber und ůber. Was wollen wir aber vor eine
trôstliche Comoedi tragiren?

P. Sq. Von Piramus und Thisbe.

M. Kl. G. Das ist übermassen trefflich! man kan allerhand
schône Lehre / Trost und Vermahnung drauß nehmen /

---

10 *Neu-Zembla:* Nowaja Semlja, erst 1594 entdeckte Insel vor der russischen
   Arktikküste; daher für die Zeitgenossen (auch im *Horribilicribrifax*) der
   Inbegriff eines irrealen Fabelreiches.
18 *tragiren:* bewußt falsch für: inszenieren.
20 *in specie:* vor allem.

aber das árgeste ist / ich weiß die Historie noch nicht / geliebt es nicht E. Herrligkeit dieselbte zu erzehlen.

P. Sq. Gar gerne. Der Heil. alte Kirchen-Lehrer Ovidius schreibet in seinem schönen Buch Memorium phosis, das Piramus die Thisbe zu einem Brunnen bestellet habe / in [4] mittelst sey ein abscheulicher heßlicher Löwe kommen / vor welchem sie aus Furcht entlauffen / und ihren Mantel hinterlassen / darauff der Löwe Jungen außgehekket; als er aber weggegangen / findet Piramus die bluttige Schaube / und meinet der Löwe habe Thisben gefressen / darumb ersticht er sich aus Verzweiffelung / Thisbe kommet wieder und findet Piramum todt / derowegen ersticht sie sich ihm zu Trotz.

P. H. Und stirbet?

P. Sq. Und stirbet.

P. H. Das ist tröstlich / es wird übermassen schön zu sehen seyn: aber saget Herr P. Sq. Hat der Löwe auch viel zu reden?

P. Sq. Nein / der Löwe muß nur brüllen.

P. H. Ey so wil ich der Löwe seyn / denn ich lerne nicht gerne viel außwendig.

P. Sq. Ey Nein! Mons. Pickelhering muß eine Hauptperson agiren.

P. H. Habe ich denn Kopff genug zu einer Hauptperson?

P. Sq. Ja freylich. Weil aber vornemlich ein tapfferer ernsthaffter und ansehnlicher Mann erfordert wird zum Prologo und Epilogo, so wil ich dieselbe auff mich nehmen / und der Vorreder und Nachreder des Spiles / das ist Anfang und das Ende seyn.

M. Kr. über und über. Jn Warheit. Denn weil ihr das Spiel macht / so ist billich / daß ihr auch den Anfang und das Ende dran setzet.

---

4 *Memorium phosis:* Zur Geschichte von Pyramus und Thisbe vgl. Ovid, *Metamorphoses* IV,55–166.

10 *Schaube:* langes Obergewand.

13 *agiren:* hier: vorstellen.

M. Klip. Wer sol denn den Löwen nu tragiren? Jch halte er stünde mir am besten an / weil er nicht viel zu reden hat.

M. Kricks. Ja mich düncket aber / es solte zu schrecklich lauten / wenn ein grimmiger Löwe hereingesprungen kåme / und gar kein Wort sagte / das Frauenzimmer würde sich zu hefftig entsetzen.

M. Klotz-G. Jch halte es auch dafür. Sonderlich wåre rathsam wegen Schwangerer Weiber / daß ihr nur bald anfånglich sagtet / ihr wåret kein rechter Löwe / sondern nur Meister Klipperl. der Schreiner.

P. H. Und zum Wahr-Zeichen lasset das Schurtzfell durch die Löwen Haut hervor schlenckern.

[5] M. Loll. Wie bringen wir aber die Löwenhaut zu wege? Jch habe mein lebtage hören sagen / ein Löwe sehe nicht viel anders aus als eine Katze. Wåre es nun rathsam / daß man so viel Katzen schinden liesse / und überzüge euch nackend mit den noch blutigen Fellen / daß sie desto fester anklebeten?

M. Kr. über und über. Eben recht. Es wåre ein schöner Handel / sind wir nicht mehrentheils Zunfftmåssige Leute? würden wir nicht wegen des Katzenschindens unredlich werden?

M. B. B. Es ist nicht anders. Darzu habe ich gesehen / daß die Löwen alle gelbe gemachet werden / aber meine lebtage keine gelbe Katze gefunden.

P. Sq. Jch habe einen andern Einfall. Wir werden doch die Comoedi bey Lichte tragiren. Nun hat mich mein Gevatter Mester Ditloff Ochsen-Fuß / welcher unser Rathhaus gemahlet / vor diesem berichtet / daß Grüne bey Lichte gelbe scheine. Mein Weib aber hat einen alten Rock von Fruß / den wil ich euch an stat einer Löwenhaut umbbinden.

M. Kr. Das ist das beste so zuerdencken / nur er muß der Rede nicht vergessen.

11 *Schurtzfell:* Lederschürze; Berufskleidung des Schreiners.
31 *Fruß:* Fries; grobes, ungeschorenes Wolltuch.

M. Kl. G. Kůmmert euch nicht darumb lieber Schwager /
Herr Peter Squentz ist ein gescheidener Mann / er wird
dem Lōwen wol zu reden machen.

Mester Klipperl. Kůmmert euch nicht / kůmmert euch
nicht / ich wil so lieblich brůllen / daß der Kōnig und die
Kōnigin sagen sollen / mein liebes Lōwichen brůlle noch
einmal.

M. P. Sq. Lasset euch unterdessen die Någel fein lang
wachsen / und den Bart nicht abscheren / so sehet ihr
einem Lōwen desto ehnlicher / nun ist einer difficultet
abgeholffen / aber hier wil mir das Wasser des Verstandes
schier die Můhlråder des Gehirnes nicht mehr treiben /
der Kirchenlehrer Ovidius schreibet / daß der Monde
geschienen habe / nun wissen wir nicht / ob der Monde
auch scheinen werde / wenn wir das Spiel tragiren
werden.

P. H. Das ist / beym Element / eine schwere Sache.

[6] M. Kricks. Dem ist leicht zu helffen / wir můssen im
Calender sehen / ob der Monde denselben Tag scheinen
wird.

M. Kl. G. Ja wenn wir nur einen håtten.

M. Loll. Hier habe ich einen / den habe ich von meines
Groß-Vatern Muhme ererbet / er ist wol 100. Jahr alt /
und derowegen schier der beste. Ey Juncker Pickelh.
verstehet ihr euch auffs Calendermachen / so sehet doch
ob der Monde scheinen wird.

P. H. Je solte ich das nicht kōnnen / Lustig / lustig ihr
Herren / der Mond wird gewiß scheinen / wenn wir
spielen werden.

M. Kricks. Ja ich habe aber mein lebetag gehōret / wenn
man schōn Wetter im Calender findet / so regnets.

M. Kl. G. Drumb haben unsere lieben Alten gesaget; du
leugest wie ein Calendermacher.

2 *gescheidener:* absichtliche Verballhornung von: gescheiter.
0 *difficultet:* Schwierigkeit.
3 *leugest:* lügst.

P. Sq. Ey das ist nichts / der Mond muß darbey seyn /
wenn wir die Comoedi spielen / sonst wird das Ding zu
Wasser / das ist die Comoedi wird zu nichte.

M. Kricks. Hôrt was mir eingefallen ist / ich wil mir einen
Pusch umb den Leib binden / und ein Licht in einer
Latern tragen / und den Monden tragiren, was dûncket
euch zu der Sachen?

P. H. Beim Velten das wird gehen / aber der Monde muß in
der Hôhe stehen. Wie hier zu rathen?

P. Sq. Es solte nicht ûbel abgehen / wenn man den Monden
in einen grossen Korb setzte / und denselben mit einem
Stricke auff und abliesse.

M. Kricks. Ja! wenn der Strick zuriesse / so fille ich
herunter und brâche Hals und Bein. Besser ist es / ich
stecke die Laterne auff eine halbe Picken / daß das Licht
umb etwas in die Hôhe kommet.

P. Sq. Nec ita malè. Nur das Licht in der Laterne muß
nicht zu lang seyn / denn wenn sich Thisbe ersticht / muß
der Mond seinen Schein verlieren / das ist / verfinstert
werden / und das muß man abbilden mit Verleschung deß
Lichtes. Aber ad rem. Wie werden wir es mit der Wand
machen?

[7] M. Klipperl. Eine Wand auffzubauen fûr dem Kôni-
ge / das wird sich nicht schicken.

P. H. Was haben wir viel mit der Wand zu thun?

P. Sq. Ey ja doch / Piramus und Thisbe mûssen mit einander durch das Loch in der Wand reden.

M. Klipperl. Mich dûncket / es wâre am besten / man
beschmierete einen umb und umb mit Leimwellern / und
steckte ihn auff die Bûhne / er mûste sagen daß er die

---

5 *Pusch:* Busch; Bündel von Zweigen.
8 *Velten:* Valentin, euphemistisch für: Valand ›Teufel‹.
17 *Nec ita malè:* Nicht so schlecht.
21 *ad rem:* zur Sache.
29 *Leimwellern:* eigtl. Walzen zum Glätten der Lehmwände; hier einfach
Lehm.

Wand wåre / wenn nun Piramus reden sol / mûste er ihme
zum Maule das ist zum Loch hinein reden / Wenn nun
Thisbe was sagen wolte / mûste er das Maul nach der
Thisbe kehren.

P. S q. Nihil ad Rhombum. Das ist: nichts zur Sache.
Thisbe muß dem Piramus den Liebespfeil durch das Loch
ausziehen / wie wollen wir das zu wege bringen?

P. H. Lasset uns dennoch eine Papierne Wand machen /
und ein Loch dardurch bohren.

M. B. b. Ja / die Wand kan aber nicht reden.

M. Kricks. Das ist auch war.

M. B. b. Jch wil mir eine Papierne Wand an einen Blind-
råhmen machen / und weil ich noch keine Person habe /
so wil ich mit der Wand auff den Platz kommen und
sagen / daß ich die Wand sey.

P. S q. Appositè das wird sich schicken / wie / eine Hårings-
Nasen auff einen Schwaben Ermel / Juncker Pickelhåring
ihr mûsset Piramus seyn.

P. H. Birnen Most? Was ist das fûr ein Kerl.

P. S q. Es ist die vornemste Person im Spiel / ein Chevalieùr
Soldat und Liebhaber.

M. Kl. G. Ja Pickelhåring ist die fûrnemste Person im
Spiel / er muß das Spiel zieren / wie die Bratwurst das
Sauerkraut.

P. H. Ein Soldat und Buler / so muß ich lachen und sauer
sehen.

P. S q. Aber nicht beydes auff einmahl.

P. H. Das ist gut! denn ich kan nicht zugleich lachen und

---

3 *Person:* hier: Rolle.

4 *Platz:* Schauplatz, Bühne.

6 *Appositè:* Das paßt genau.

6 f. *das wird sich schicken | wie | eine Hårings-Nasen auff einen Schwaben
   Ermel:* das paßt ausgezeichnet.

9 *Birnen-Most:* Als »des Königs lustiger Rat« stellt sich Piramus in seiner
   Rolle absichtlich dumm, um ein Maximum an komischen Situationen aus
   den biederen Handwerkern herauszuholen.

weinen / wie Jehan Potage. Es stehet auch einer so
vornehmen Person / wie ich bin / nicht an / sondern ist
Nårrisch nicht [8] Fůrstlich. Nur ich bitte euch umb
Gottes Willen / machet mir nicht viel Lateinisch in meinem Titul / die Wôrter sind mir zu Cauderwellisch / und
wir verwirren das gantze Spiel. Denn ich weiß / ich werde
sie nicht behalten.

P. Sq. Es wird sich wol schicken. Ja nun wil mir das Hertze
gar in die Hosen fallen.

M. Kl. G. Ey warumb Ehrenvester Herr Peter Squentz.

P. Sq. Wir mùssen eine Thisbe haben / wo wollen wir die
her nehmen?

M. Loll. Das kan Klotz-George am besten agiren, er hat
als er noch ein Knappe war / die Susanna gespielet / er
machte ihm die Augen mit Speichel naß / und sah so
barmhertzig auß / daß alle alte Weiber weinen mùsten.

P. Sq. Ja und das gehet nun nicht an / er hat einen grossen
Bart.

P. H. Ohne Schaden: Er mag ihm das Maul mit einem
stůcke Specke schmieren / so siehet er desto glåtter aus
umbs Mundstůck / und kan mit einer schmutzigen Goschen zum Fenster aus kucken.

M. Kricks. Freylich! nehmet die Personen an zu guten
Glůck / man weiß doch wol / daß ihr die rechte Thisbe
nicht seyd.

Bullabutåin. Jhr mùsset fein klein / klein / klein reden.

M. Kl. G. Also.

P. Sq. Noch kleiner!

M. Kl. G. Also denn?

P. Sq. Noch kleiner.

---

1 *Jehan Potage:* ›Hans Supp‹, lustige Person des französischen Theaters,
   Vetter des deutschen »Hanswurst«.
16 *barmhertzig:* erbärmlich.
21 f. *mit einer schmutzigen Goschen:* mit fettigem Mund.
27 *Also:* Er redet leiser und leiser.

M. Kl. G. Nun nun / ich wils wol machen / ich wil so klein
und lieblich reden / daß der Kőnig und Kőnigin an mir
den Narren fressen sollen.

M. Loll. Was soll denn ich seyn?

P. Sq. Beim Element / wir håtten schier das nőtigste vergessen / ihr műsset der Brunnen seyn.

M. Loll. Was der Brunn?

P. Sq. Der Brunn.

[9] M. Loll. Der Brunn? des muß ich lachen / ich bin ja
einem Brunn nicht ehnlich.

P. Sq. Ey ja verstehet eine Wasser-Kunst.

P. H. Freylich / seyd ihr euer lebenlang nicht zu Dantzig
gewesen / oder zu Augspurg / die Maister-Sånger reisen ja
sonst zimlich weit / habt ihr nicht gehőret / daß der
Kåyser zu Augspurg auff einem Brunn stehet / und zu
Dantzig Clinctunus.

M. Loll. Aber wie sol ich Wasser von mir spritzen?

P. H. Seyd ihr so alt und wisset das nicht? ihr műsset
vornen.

P. Sq. Holla! Holla! Wir műssens Erbar machen fűr dem
Frauen Zimmer. Jhr műsset eine Gießkanne in der Hand
haben.

P. H. Recht recht! so mahlet man das Wasser unter den
9. Freyen-Kűnsten.

P. Sq. Und must auch Wasser in dem Mund haben und mit
umb euch spritzen.

M. Kl. G. Wie wird er aber reden kőnnen?

P. Sq. Gar wol / wenn er einen Vers geredet hat / so muß er
einmal spritzen. Nun zu dem Titul dieses Spieles / wir
sollen es heissen eine Comoedi oder Tragoedie.

M. Loll. Der alte berűhmbte deutsche Poët und Meister-
Sånger Hans Saxe schreibet / wenn ein Spiel traurig

---

1 *Wasser-Kunst:* hier: Brunnenstatue.
6 *Clinctunus:* der Danziger Neptunsbrunnen.
2 *Saxe:* Zur Satire auf Hans Sachs und die Meistersinger vgl. Nachw. S. 68 f.

ausgehet / so ist es eine Tragoedie, weil sich nun hier 2. erstechen / so gehet es traurig aus / Ergò.

P. H. Contrà. Das Spiel wird lustig außgehen / denn die Todten werden wieder lebendig / setzen sich zusammen / und trincken einen guten Rausch / so ist es denn eine Comoedie.

P. Sq. Ja es ist noch in weitem Feld. Wir wissen noch nicht ob wir bestehen werden / vielleicht machen wir eine Sau und kriegen gar nichts / darumb ist es am besten / ich folge meinem Kopff und gebe ihm den Titul ein schön Spiel lustig und traurig / zu tragiren und zu sehen.

M. Loll. Noch eines. Wenn wir das Spiel tragiren werden / wollen wir dem Könige ein Register übergeben / darauff allerhand Comoedien verzeichnet / und diese zum letzten setzen / daß er außlesen mag / was er sehen wil. Jch weiß / er [10] wird doch keine begehren / als die letzte / unterdessen werden wir für geschickte und hochgelehrte Leute gehalten werden.

P. Sq. Gut gut! ihr Herren lernet fleissig / morgen mache ich die Comoedi fertig / so krieget ihr die Zedel über morgen / ich wil unter dessen M. Lollingern den Meister-Sänger zu mir nehmen / der wird mir schon helffen einrahten / wie ich die Endungen der Syllben / wol zusammen bringe / unter dessen seyd Gott befohlen.

P. H. Ehren / Wolehren und Hochehrenvester / tieffgelehrter / spitzfindiger Herr P. Squentz grossen danck / eine gute Nacht.

Die andern nehmen alle mit allerhand Cerimonien von einander ihren Abscheid / Pickelhäring aber und Peter Squentz nötigen einander voranzugehen / so bald aber Squentz voran tretten wil / zeucht ihn Pickelhäring zurück / und laufft selbst voran.

 2 *Ergò:* Also! Basta!
 3 *Contrà:* Im Gegenteil.
20 *Zedel:* Rollenzettel.

Der Ander Auffzug.

Theodorus. Cassandra. Violandra. Serenus. Eubulus.
P. Squentz.

Theodorus. Wir erfreuen uns höchst / das wir den nunmehr vergangenen Reichs-Tag glücklich geendet / auch
anwesende Abgesandten mit guter Vergnügung abgeferti-
get / mit was Kurtzweil Herr Marschalck passiren wir
vorstehenden Abend?

Eub. Durchläuchtigster König / es hat sich verwichene
Tage ein Seichtgelehrter Dorff-Schulmeister nebens etli-
chen seines [11] gleichen bey mir angemeldet / welcher
willens vor ihrer Majestät eine kurtzweilige Comoedi zu
agiren, weil ich denn dieselbe sehr annehmlich befunden /
in dem ich dem Versuch beygewohnet; habe ich die
gantze Gesellschafft auff diesen Abend herbeschieden /
und zweiffele nicht / ihre Majestät werden sich ob der
guten Leute Einfalt und wunderlichen Erfindungen nicht
wenig erlustigen.

Cassandra. Wir sehen sehr gerne Comoedi und Tragoedien. Was Jnhalts deß Spieles lassen sie anmelden.

Eub. Durchläuchtigste Princessin sie haben mir ein groß
Register voll überreichet / aus welchen Jhrer Majestäten
frey stehet außzulesen / was sie am angenehmsten düncket.

Seren. Leset uns doch die Verzeichnüß.

Eub. Ein schön Spiel von der Verstörung Jerusalem. Die
Belägerung von Troja. Die Comoedia von der Susanna.
Die Com. von Sodom und Gomorrha. Die Trag. von
Ritter Petern mit dem Silbernen Schlüssel. Vom Ritter
Pontus. Von der Melusina. Von Artus und dem Ostwind.
Von Carolus quinque. Die Comoedie von Julius unus.
Vom Hertzog und dem Teuffel. Ein schön Spiel lustig

---

16 *Ein schön Spiel:* Der anschließende Katalog ist den echten Repertoire-
Verzeichnissen der Wanderkomödianten nachgebildet.

und traurig / kurtz und lang / schrecklich und erfreulich
von Piramus und Thisbe hat hinten und forn nichts
niemals vor tragiret und noch nie gedrucket / durch Peter
Squentz Schulmeiſtern daselbst.

[12] Seren. Es scheinet die guten Schlucker kőnnen keine
als die letzte / darumb sie denn solche sonderlich auβge
strichen / ruffet nur den Principal selber herein / ich muſ
mich was mit ihm unterreden.

Eub. Durchlåuchtigster Fůrst / es ist ein schlechter guter
Mann / er wird sich zweifels ohn entsetzen / und damit
kommen wir umb die Comoedi und verhoffte Lust.

Seren. Fodert ihn herein / wir wollen schon wissen mit
ihm umbzugehen.

Eub. Dieses ist die bewuste Person / Durchlåuchtigster
Fůrst.

Seren. Seyd ihr der Author der Comoedi?

P. Sq. Ja mit zůchten zu melden Juncker Kőnig.

Theodor. Von wannen seyd ihr?

P. Sq. Tugendsamer Herr Kőnig ich bin ein Ober-Lånder

Theodor. Wo habt ihr studiret?

P. Sq. Jm Mågdeflecken auff der Neustad.

Theodor. Was habt ihr studiret?

P. Sq. Jch bin ein Universalem, das ist in allen Wissen
schafften erfahren.

Theodor. Wo haltet ihr euch auff?

P. Sq. Vor diesem bin ich wolbestelter Glockenzieher der
Spittelglőckleins gewesen / weil ich mich aber über dieser
massen auff die Music deβ Glockengeklanges verstanden
bin ich nun mehr zu Rumpel-Kirchen wolbestelter Hand
langer des Wortes Gottes / das ist Schreiber und Schul
meister auch Expectant deβ Pfarr-Ampts / wenn die
andern alle werden gestorben seyn.

Theodor. Seyd ihr denn auch tůchtig darzu?

P. Sq. Ja freylich / in der gantzen Welt sind 4. Theil

---

9 *schlechter:* schlichter.
31 *Expectant:* Kandidat, Amtsnachfolger.

Europa, Asia, Africa und America, unter diesen ist Europa das vornembste / in Europa sind unterschiedene König-reiche / als Spanien / Portugall / Franckreich / Deutsch-land / Moschkau / Engelland / Schottland / Dennemarck und Pohlen / unter allen aber ist Ober-Land das vor-nembste / weil es über Niederland / Oberland wird getheilet in Groß- und Klein-Oberland. Groß-Oberland hat den Vorzug / [13] dannenhero heist es auch groß. Jn groß Ober-Land sind unterschiedene Creisser / als der Niesische / Gryllische / Würmische mit ihren vornehm-sten Städten / als Fortzenheim / Narrenburg / Weißfisch-hausen / Kälberfurtz / Mågdeflecken. Diese letztere ist die trefflichste / denn die Mågdlein oder Jungfern haben wieder den Vorzug / denn sie gehen voran. Zu Mågde-flecken gibt es unterschiedene Gassen / als die lange / die breite / die enge / die rechte / die krumme / die Rosmarin-Gassen. Die Graupen-Gasse. Die Kerbe-Gasse. Die Li-lien-Gasse / welche andere mit Verlaub aus Haß und Neyd die Dreck-Gasse nennen / unter allen ist die Lilien-Gasse die trefflichste / denn auff derselben wohneten vor Zeiten viel vornehme gelehrte Leute / als Meister Girge Hackenbanck / Matz Stroschneider / Meister Bulla-Butân / Meister Kricks über und über und Meister Klipperling / unter allen aber war ich der vornehmste. Ergò kan es nicht fehlen ich bin der vornehmste Mann in der gantzen Welt / das ist in Europa, Asia, Africa und America, ist mir niemand gleich.

T h e o d o r. Wir nehmen mit höchster Verwunderung an / was ihr vorbringet / und erfreuen uns / daß wir so statliche und treffliche Leute in unserm Lande haben.

e r e n. Aus so vielen Comoedien, die ihr zu agiren willens / begehren Jhre Majestät die erste zu sehen / von der Verstörung Jerusalem.

Städten: Persiflage deutscher Städtenamen (Pforzheim, Nürnberg, Och-senfurt, Magdeburg usw.) zur Entlarvung des kleinbürgerlichen Standes-dünkels.

P. Sq. O potz tausend felten.

Seren. Was sagt ihr darzu? nun wie stehet ihr so / wa
krůmmert ihr lange im Kopffe?

P. Sq. Die wolten wir wol tragiren, aber ihr můst un
zuvor Jerusalem lassen bauen / da wolten wir es zustȯre
und einnehmen.

Seren. Wie stehets denn mit der Belȧgerung von Troja?

P. Sq. Es ist ein Ding.

Seren. Und was macht denn die schȯne Susanna?

P. Sq. Wir wolten die wol tragiren, aber es wůrde ůbe
stehen vor dem Frauen Zimmer / wann sich die Susann
nackend baden solte.

[14] Seren. Was sagt ihr denn zu Sodom und Gomorrha

P. Sq. Die wolten wir wol tragiren, aber es wůrde vie
Feuerwerck dazu gehȯren / wir mȯchten vielleicht de
Teuffel gar anzůnden.

Seren. Was sol man denn mit Rittern Peter machen?

P. Sq. Die wolten wir wol tragiren, aber ihr můsset noc
14. Tage darauff harren.

Seren. Wie stehets denn mit Ritter Pontus?

P. Sq. Die wolten wir wol tragiren, aber Ritter Pontus is
uns daraus gestorben.

Seren. Kȯnnen wir die Melusinen sehen?

P. Sq. Das hat Meister Lollinger wider mein Wissen un
Willen dazu gesetzet / den lasse ichs verantworten.

Seren. Sol denn Artus und der Ostwind mit einande
fechten?

P. Sq. Die wolten wir wol tragiren, aber der / der de
Ostwind tragiret, ist itzt zu Schlieren Schlaff nach Woll
gezogen / kȯnnet ihr geduld haben / biß er wieder komt
so wollen wir sehen / wie wir das Spiel zuwege bringen

Seren. Was ist denn Carolus quinque vor einer gewesen

P. Sq. Er ist seines Namens der Erste gewesen / Julius unu

---

1 *felten:* vgl. Anm. zu 14,8 *Velten.*
3 *krůmmert:* kratzt.
8 *ein Ding:* dieselbe Sache.

der Andere / aber zu dem ersten mangeln uns die Kleider /
und in der andern Comoedi ist zu viel Lateinisch. Es
wûrde dem Gestrengen Frauen-Zimmer nur verdrûßlich
fallen.

Seren. Kônnet ihr denn den Hertzog und den Teuffel
einfûhren?

P. Sq. Das kônten wir wol thun / aber es wûrde erschreck-
lich seyn / wenn der Teuffel kommen solte / die kleinen
Kinder wûrden so drûber weinen / daß man sein eigen
Wort nicht vernehmen kônte.

Seren. Nun ich sehe / ihr seyd sehr wol ausgerûstet / es
mangelt nun nichts mehr als die letzte von Pyramus und
Thisbe.

P. Sq. Die wollen wir euch den Augenblick hermachen.

Seren. Jhre Majestât verstehen den Titul nicht wol / kônt
ihr uns denselben nicht etwas erklâren?

P. Sq. Das kan ich besser als der Cantzler.

[15] Theodor. Bey Gott P. Sq. dûncket sich keine Sau zu
seyn.

P. Sq. Ein schôn Spiel / schôn wegen der Materie, schôn
wegen der Comoedianten und schôn wegen der Zuhôrer /
lustig und traurig / lustig ists weil es von Liebes-Sachen
handelt / traurig weil zwey Môrde drinnen geschehen /
kurtz und lang / kurtz wird es euch seyn / die ihr zusehet /
uns aber lang / weil wir es außwendig lernen mûssen.
Schrecklich und erfreulich / schrecklich weil ein grosser
Lôwe / so groß als ein Affe drinnen ist / dahero es auch
wol Affentheuerlich heissen mag. Erfreulich / weil wir
von Jhr Gestr. eine gute Verehrung gewertig sind / hat
hinten und forn nichts / ihr sehet wie die Comoedi
gebunden ist / sie hat vornen nichts und hinten auch
nichts. Niemals vor tragiret und noch nie gedruckt. Jch
bin erst vor 3. Tagen mit fertig worden / derowegen ist
nicht glaublich / daß sie zuvor tragiret oder gedruckt sey.

27 *Affentheuerlich:* Wortverdrehung aus Johann Fischarts *Affentheurlich
Naupengeheurliche Geschichtklitterung* (1575).

Theodor. Sie wird ja aber in künfftig gedrucket werden.

P. Sq. Ja freylich / und ich wil sie Jhrer Majestät dediciren, durch P. Sq. der bin ich / Schulmeister daselbst / das ist zu Rumpels-Kirchen.

Cassandra. Wer wolte das errathen?

P. Sq. Wer es nicht kan / dem steht es frey / daß er es bleiben lasse. Jch richte mich nach dem Cantzley Stylo. Neulich bekam ich einen Brieff / der war unterschrieben datum Kunrathsheim durch Peter Aschern / Stadtschreibern daselbst. Bin ich nicht so gut als er?

Seren. Jhr habt euch sehr wol verantwortet / Herr Marschalck man lasse sie in dessen tractiren. Nach vollendeter Abendmalzeit stellet euch mit euren Gehülffen auffs fertigste ein.

P. Sq. Ja / ja Juncker König / Ja.

Serenus. Bey Gott Herr Marschalck / ihr habt statliche Kurtzweil angerichtet / wo die Tragoedi so anmuttig / wie sich der Anfang anlässet / wird unter den Zusehern niemand eines Schnuptuches zu Abtruckung der Threnen bedürffen.

Cassandra. Es wäre denn daß sie im Lachen hervor dringen.

Eubul. Jhre Majestät werden Wunder sehen und hören / ich [16] hätte selbst nimmermehr vermeinet / daß so vortreffliche Geschicklichkeit in Herren Peter Squentz vergraben.

---

2 *dediciren:* widmen.
12 *tractiren:* bewirten.

Der Dritte Auffzug.

Die Personen alle.

Theodorus. Unsere Comoedianten verziehen ziemlich lange.

Cassandra. Gut Ding wil Zeit haben.

Serenus. Jch zweiffele / daß bey ihnen das erste / derowegen halten sie sich an das letzte / vielleicht wird auß der Tragoedi von Pyramo und Thisbe der Carolus quinq; oder Julius unus.

Violandra. Herr P. Sq. schiene sonst ziemlich leichte: Wo ihm die andern nicht Gegenwage halten / dürffte ihn der Westwind so weit hinwegführen / daß er von Ritter Arto nicht leicht zu ereylen.

Eubul. Mich bedaucht sie kommen. Jch höre ein gepolter vor der Thür.

Seren. Es ist nicht anders / Herr Peter Sq. beginnet sich zu reuschpern.

Violand. Die Morgenröte bricht an / die Sonne wird bald auffgehen.

Theodor. Man schaue und wundere sich. Wenn man deß Wolffes gedencket so kömt er. Was wil der alte Lappe mit dem höltzernen Ober-Rocken?

Eubul. Den träget er an stat deß Zepters / weil er sich zum Vorreder deß Traur-Spiels auffgeworffen.

Seren. Es ist kein Kinderwerck / wenn alte Leute zu Narren werden.

Peter Squentz beginnet nach gethaner altfränckischen Ehrerbittung sein traurig Lust-Spiel.

P. Sq. Jch wündsche euch allen eine gute Nacht.
[17] Dieses Spiel habe ich Herr Peter Sq. Schulmeister und Schreiber zu Rumpels-Kirchen selber gemacht.

---

21 *Lappe:* läppischer Tropf, Laffe.
22 *Ober-Rocken:* Oberteil des Spinnrockens.

Seren. Der Vers hat schrecklich viel Fůsse.

P. Sq. So kan er desto besser gehen. Jhrer werden noch
  mehr dergleichen folgen: nun stille! und macht mich nicht
  mehr Jrre.

> Doch mangelts wol umb einen Birnenstiel.
>
> Fůnff Actos hat das schône Spiel.
>
> Daran hab ich drey selber erticht
>
> Die andern 2. hat M. Lollinger der Leinweber in die
>   falten gericht.
>
> Jst ein Meister Sånger und kein OX,
>
> Versteht sich wol auff Equifox,
>
> Wir haben gesessen manche liebe Nacht /
>
> Eh' wir die frôliche Tragoedi zu wege bracht.
>
> Nu was deß Spiels Summiren summarum sey.
>
> Sag' ich euch hier mit grossem Geschrey.
>
> *Hierauff verstummt er und kratzt sich im Kopff.*

Cassandra. Vor diesem Geschrey kan man noch wol
  bleiben.

P. Sq. *(Nach langem Stillschweigen.)* Je du diebischer
  Kopff! hastu den Dreck denn gar můssen vergessen! Nun
  das ist die erste Sau / der Comoedianten sind 7. Wenn ein
  jedweder eine macht / so haben wir ein halb Tutzend
  weniger zwo. Ey hertzer lieber Herr Kônig / habet mir
  doch nichts fůr ůbel / ich habe es zu Hause schlapper-
  mentsch wol gekônnt / ich wils mit meinem Weibe und
  allen Mitgesellen bezeugen. Ey. Ey. Ey. Ey.
  Er suchet eine lange weile den Zedtel / als er ihn zuletzt in
  dem lincken Ermel funden / da setzt er die Průlle auff /
  und [18] sihet auffs Papier darnach fåhret er fort.

> Ein kůhner Degen heist Piramus.
>
> Der Tragiret den ersten Actus.
>
> Die Liebe / der reudichte schåbichte Hund /

---

11 *Equifox:* frz. équivoque ›zweideutig‹; er meint aber wohl zweistimmig.

14 *Summiren summarum:* Gemeint ist *summa summarum*, hier: Synopsis
  oder Inhaltsangabe.

32 *Liebe:* der Gott Amor.

Hat ihm seine 5. Sinnen verwundt /
Er klaget über die liebliche Pein /
Und wolte so gerne erlöset seyn.
Die Thisbe find sich bey der Wand /
Und redet durch das Loch mit Verstand.

Serenus. Hilff Gott das sind treffliche Vers.

Cassandra. Nach Art der alten Pritschmeister Reymen.

Theodorus. Wenn sie besser wären / würden wir so sehr
nicht drüber lachen.

P. Sq. Thisbe zeucht auß in schneller eyl
Dem Piramus seinen Liebes-Pfeil /
Und klaget ihm daß ihr die Lieb
Gekruchen in den Bauch so trieb /
Als sie geschlaffen unter dem Baume faul /
Und auffgelassen ihr grosses Maul.
Piramus verspricht ihr zu helffen /
Sagt / sie solte nicht so gelffen /
Bestellet sie zu einem Brunnen /
Bey dem Mondenschein / nicht bey der Sonnen.
Als sie dahin sich nun begeben
Kommet ein grimmiger Löwe eben
Sie erschrickt und lässt den Mantel fallen /
Jn dem thut Piramus auch herwallen /
Und weil sich der Löwe auff den Mantel gestreckt
Und Jungen droben außgeheckt /
Findet er den bluttigen Mantel /
Das macht ihm gar einen bösen Handel /
Er meint der Löwe habe Thisben gefressen /
Darumb wil er nicht mehr Brod essen /
[19] Er ersticht sich und bleibet tod /
Genade ihm der liebe Gott.
Thisbe läst sich dadurch betrügen /

---

7 *Pritschmeister Reymen:* nicht die Meistersingerverse, sondern die primiti-
   veren der städtischen Festordner des 16. Jh.s.
13 *trieb:* trüb.
17 *gelffen:* schreien (vgl. engl. *yell*, dt. *gellen*).

Denn als sie ihn findet todt liegen /
Fållt sie in sein Schwerdt auch
Und ersticht sich in ihren Bauch.
Jhr důrfft euch aber nicht entsetzen /
Wenn Thisbe sich so wird verletzen /
Sie ersticht sich nicht / es ist nur Schimpff!
Wir wollen schon brauchen Glimpff.
Auch lasst euch gar nicht diß betrůben
Wenn der schreckliche grimmende brůllende Lôw wird
      einer schieben.
Jm ůbrigen sag ich euch diß fůr wahr /
Es sol nicht fehlen umb ein Haar /
Wo ihr das Lachen nicht werdet lassen /
So werde ich euch schlagen auff die Taschen:
Jch sag euch das / ihr Alten und Jungen
Jch werd euch schlagen auff die Zungen.
Speyet auß und råuschpert euch zuvor /
Und gebet uns denn ein liebreiches Ohr.
Jhr werdet hier schône Sachen fassen /
Wenn ihr euch nur wollt lehren lassen;
Nun mangelts nur an diesem allein /
Daß ich euch weise die Comoedianten mein.
Kompt herauß liebe Comoedianten,
Die liebe Zeit ist nun verhanden /
Daß wir unsere schône Gedicht /
Mit der Zeit bringen an das Licht
Nun gehet dreymahl auff und nieder
Stellt euch an diese Seite wieder.
Nun tretet noch einmahl herumb /
Meister Mondschein ey gehet nicht so krumb!
Meister Bullabutån kommet zur hand
Und vertrit in dem Spiel die Wand /
[20] Denn kommt Piramus unverdrossen
Auch Thisbe macht ihm WunderPossen.

6 *Schimpff:* Scherz.
7 *Glimpff:* hier: Rücksicht.

M. Kricks über und über ist der Mond /
Er scheint und leucht im höheren Thon.
Der Löwe aber stehet noch in jener Ecken /
Damit ihr ja nicht dürfft erschrecken /
Er wird aber zu rechter Zeit wol kommen
Eh' ihr es meint / hört ihr ihn nicht schon brummen?
Meister Lollinger wird Brunnen seyn /
Schaut nur wie fein er geht herein!
Nun tretet nur wieder an euren Ort
Und sprecht hernach wol aus alle Wort /
Jch habe itzt nicht mehr zu verrichten /
Als / daß ich sitze in diesem Winckel tichten /
Und gebe wol acht in meinem Büchelein /
Ob sie das Spiel tragiren fein.

Peter Sq. setzet sich auff einen Schemmel | nimt die
Prülle | setzet sie auff die Nasen | als er aber sein
Exemplar ansehen wil | stösset ein Hofediener an den
Schemmel | daß Peter Sq. über und über fällt | als er
aufgestanden | spricht er wider den König.

P. Sq. Herr König / es giebet leider viel Narren auff eurem
Hofe.

Eubul. Gott lob! da kommt die Wand.

Cassand. Treffliche Erfindungen!

Serenus. Lasst uns hören / ob diese Wand auch reden
werde?

M. Bullabut.
Jhr Herren höret mir zu mit offnen Ohren /
Jch bin von ehrlichen Leuten gezeuget.
Mein Groß-Vater ward gefangen und gebunden
[21] Und wie man saget / so ist Er abgezogen /
Mein Vater war der Bettler König /

---

1 *über und über:* kopfüber (vgl. Kricks-Nachnamen).
27 [–30,19] Sämtliche 12 Reimpaare enden mit dem falschen Reimwort. Die
richtigen wären: geboren, geschunden, (gelassen gar) wenig, geschickt,
erfahren, Birn', schämen, Blasebalckemacher, Tugend, Wand, mich sehen
an, verdrießen.

Er hat mir warhafftig gelassen nicht gar viel /
Meiner Mutter hat es wol gelůckt /
Daß man sie hat nach Fischen gesand.
Jch habe in meinen jungen Jahren
Warhafftig sehr viel und mancherley gelernet /
Meine Schwester hat eine schône Stirn
Und darauff einen Flecken wie ein Apffel.
Es wolte sie schier keiner nehmen /
Jch darff mich meines Geschlechtes nicht verdriessen.
Als ich nun herumb lieff wie ein Pracher /
Thet man mich zu einem Blasebalcke-Erfinder /
Als ich da gelernet in meiner Jugend /
Weißheit / Verstand und grosse Kunst.
Hat mich Herr P. Sq. tůchtig erkant /
Daß ich sol sein in diesem Spiel die Maure /
Nun steh' ich hier auff diesem Plan /
Jhr důrfft nicht so ansehen mich /
Jch bin die Maur das solt ihr wissen /
Und solt es euch allen mit einander leid seyn.
Piramus gehet etliche mal stillschweigend auff und nie-
der / endlich fraget er P. Squentzen.

Piram. Was sol ich mehr sagen?

P. Sq. Das ist die andere Sau.

Pir. Das ist die ander Sau. Aber nein / es stehet nicht so in
meinem Zedel.

P. Sq. Gleich wie.

Pir.   Ja / ja / ja / ja / Gleich wie / Gleich wie /
          Gleich wie die Kůhblum auff dem Acker
          Verwelckt / die frů gestanden wacker
          So trucknet aus der Liebesschmertz
          Der Menschen ihr gar junges Hertz.   [brenn
          [22] O Wasser! O Wasser! ich brenn / ich
          Daß ich mich selber nicht mehr kenn /
          Ja Cupido, du Beerenhåuter /

10 *Pracher:* Bettler.

Du hast verderbt einen guten Reuter /
O süsse Liebe / wie bistu so bitter /
Du sihest auß wie ein Moßkewitter
Ey / Ey wie krübelt mir der Leib /
5   Nach einem schönen jungen Weib!
Die Thisbe ist / die mich so plaget /
Nach der meine arme Seele fraget /
Jch weine Threnen auß / wie Flüsse
Wie ungeheure Wassergüsse /
10   Und kan sie doch nicht sprechen an /
Die Wand hat mir den possen gethan
Du lose Gotts verfluchte Wand
Jch wolte daß du wårst verbrandt.
Du leichtfertige diebische Wand
15   Warumb bist du nicht in Stücken gerandt?

Violandr. Daß muß eine frome Wand seyn / daß sie sich
gar nichts zu verantworten begehret.

M. Bullab. Ja ich habe nichts mehr auff meinen Zedel /
darff auch nichts mehr sagen / ich wolt es ihm sonst auch
wol unter die Nasen reiben.

Pir.   Du lose ehrvergessene Wand.   ⌈Wand.
             Du schelmische / diebische / leichtfertige

M. Bullab. Ey Pickelhåring / das ist wider Ehr und Red-
ligkeit / es stehet auch in dem Spiel nicht / du kanst es aus
deinem Zedel nicht beweisen. Jch bin ein Zunfftmåssiger
Mann. Mache / daß es zu erleyden ist / oder ich schlage
dir die Wand umb deine ungewaschene Gusche.

Piram. Du rotziger Blasebalckemacherischer Dieb! Solst
du mich dutzen? weist du nicht / daß ich ein Königlicher
Diener bin? Schau / das gehöret einem solchen Ho-
luncken.

[23] *Pickelhåring schlåget Bullabutån in den Hals / Bullabutån schlåget ihm hergegen die Wand umb den Kopff /
sie kriegen einander bey den Haaren und zerren sich*

---

4 *krübelt:* kribbelt.

*hurtig auff dem Schauplatz herumb | worüber die Wand
schier gantz in Stücken gehet. Peter Squentz suchet sie zu
scheiden.*

P. Sq. Daß müsse GOtt im Himmel erbarmen! das ist die
3. Sau. Je schämet ihr euch denn nicht für dem Könige?
Meinet ihr | daß er eine Hundsfutte ist? höret auff in aller
Hencker Namen | höret auff | höret auff | sage ich. Stellet
euch in die Ordnung | sehet ihr nicht | daß Thisbe herein
kömpt?

*Bullabutän trit mit der zerrissenen Wand wieder an seinen
Ort.*

Thisbe.　Wo sol ich hin | wo komm ich her?
　　　　　Jch sinne bey mir die länge und quer
　　　　　Mein gantzes Hertz' im Leibe bricht |
　　　　　Vertunckelt ist mein Angesicht |
　　　　　Die Liebe hat mich gantz besessen
　　　　　Und wil mir Lung und Leber fressen |
　　　　　Jch weiß nicht | wie sie mir den Bauch
　　　　　Gemacht so pucklicht und so rauch!
　　　　　Ach Piramus du edles Kraut
　　　　　Wie hast du mir mein Hertz zuhaut |
　　　　　Ach! Ach! könnt ich doch bey dir seyn
　　　　　Mein hertzes liebes Schätzelein.
　　　　　Ach | daß ich einmal bey dir wär!
　　　　　Ja wenn die lose Wand nicht wär.

[24] Cassand. Jtzt wird es wieder über die arme Wand
gehen.

Seren. Jch möchte die Wand nicht sein in diesem Spiel.

Thisbe.　Doch schau | was seh' ich hier vor mir |
　　　　　Ein Loch so groß als eine Thür.
　　　　　Du liebe holdselige Wand!
　　　　　Gebenedeyet sey die Hand |
　　　　　Die ein solch Loch durch dich that drehen.
　　　　　O könt ich doch nun Piramum sehen

19　*rauch:* rauh.
21　*zuhaut:* zerhauen.

Doch schau! doch schau! er kommt gegangen
Mit einem Degen gleich einer Stangen /
Jch hôre seine Sporne klingen
Die Music thut so lieblich singen
Ach seht sein schônes kleines Maul /
Das grûselt wie ein Acker Gaul.

Piramus. Potz! hôr' ich da nicht Thisben sprechen?
Jch muß das Loch noch grôsser brechen.

P. Sq. Brecht den Teuffel eure Mutter / es ist ja vor zu
stossen und zu brochen genug.

Piram. Liebste Thisbe sehet ihr mich nicht?

Thisbe. O ja! du Kôniglisches Angesicht.

Piramus. Wie gehts doch / mein tausend Schatz?

Thisbe. Sehr wol nun hier auff diesem Platz

Piramus. Ach aber ach! ich bin so kranck /

Thisbe. So legt euch nieder auff die Banck.

Piramus. Ach Thisbe helfft eh' ich verderb /
Und gar vor lauter Liebe sterb!

Thisbe. Was schadt euch doch / wo thuts euch weh?

Piramus. Jch bin so heiß als Mertzen Schnee.
Die Liebe macht mir wunderliche Possen /
Sie hat mich gar ins Hertz geschossen.
Ach ziht mir auß den harten Pfeil /
Sonst sterb ich in geschwinder Eyl.

Thisbe. Wol! wol! tretet nur fûr das Loch
Und hebt den Hindern wacker hoch /
Das ist ein Pfeil! Sich / Lieber / sich!

[25] Piram. Ey! ey! ey! ey! wie schmertzt es mich!

Thisbe. Geduld! Er wird bald haussen seyn.
Seyd ihr nun heil mein Zucker-Mûndelin?

---

6 *grûselt:* redet mit zarter Stimme (Johann Andreas Schmeller, *Bayerisches
Wörterbuch*, Bd. 2, Stuttgart/Tübingen 1828, Sp. 120); vgl. jedoch Palm:
grinst, und Pòwell: schnaubt.

27 *sich:* sieh.

29 *haussen:* heraus, draußen.

         Sich lieber Pfeil bistu zu stoltz
         Und reuchst doch wie Cypressen Holtz.
Piram.   Jch fühle warlich nicht viel Schmertzen;
         Ey blaset auff die Wunde sonder Schertzen.
Thisbe.   Wie ist euch nun genung gethan?
Piram.   Ey setzt noch einen Kuß daran.
Thisbe.   Nun wol / ich hab es auch verricht.
Piram.   Nun fühl ich weiter Schmertzen nicht.
Thisbe.   Wer aber heilet meine Pein?
Piram.   Jch / ich mein Turteltäubelein.
Thisbe.   Jch habe geschlaffen mit offnem Mund
         Und Cupido der schlimme Hund
         Jst mir gekrochen in den Leib
         Ach weh! mir armem jungem Weib!
Seren. Jch meinte es wäre eine Jungfrau.
P. Sq. Es ist generaliter, das ist in lata significatione geredet.
Piram.   Gib dich zu frieden meine Seel /
         So bald der Mond auß seiner Höl'
         Wird mit blutgelbem Angesicht
         Auffpfeiffen sein durchläuchtig Licht
         So wolln wir beym Brunnen allein
         Zusammen kommen und reden fein
         Jch wil euch euren Schmertz vertreiben /
         Jhr sollet meine Liebste bleiben.
Thisbe.   Beim Brunnen hinter jenem End?
Piram.   Bey Nachtbar Kuntzen Hoffgewend
Thisbe.   Gott geb' euch unterdessen gute Nacht
Piram.   Mein halbes Hertz im Leibe lacht.
[26] **Thisbe** (*gehet wieder zurücke und spricht*).
         Ey Piramus / last euch nicht verdrüssen /
         Daß ich euch anfänglich nicht konte grüssen.
Piram.   Verzeiht mir auch hertzliebe Magd /
         Daß ich euch keinen guten Tag gesagt.

---

16 *generaliter ... in lata significatione:* allgemein gesprochen.
27 *Hoffgewend:* Ackerbreite.

Thisbe *(kommt noch einmal zurücke).*
        Was mach ich in dessen mit dem Pfeil?
Piram.   Steckt ihn in Schmeer in schneller eyl
        So geschwillet nicht die Wunde mein.
Thisbe *(kehret wiederumb).*
        Wie lange muß er drinnen seyn?
        Jsts gnug ein Tag zwey oder vier?
Piram.   Drey ist genug / das glaubet mir.
Thisbe.   Nun gutten Abend biß auff die Nacht:
Piram.   Schlafft Liebste / biß ihr aufferwacht.
        Eine Person siehet eine ziemliche weile durch
        das Loch nach der andern | biß sich Piramus
        zum ersten verleuret.
Bullab.   Ade ich zieh' nun auch dahin.
        Gott lob daß ich bestanden bin.
        Ade / Ade zu gutter Nacht;
        Nembt unter dessen eu'r in acht.
        Jch bitte den König mit seinen Knaben
        Er wolte mir nichts für übel haben.
Serenus. Blasebalckmacher / hütte du dich / daß du darinnen nicht Händel mit dem Piramus anfangest / die Comoedianten irre machest / und das Spiel verderbest / sonst wird der Thurm nach dir schnappen.
Bullab. Jch habe nichts mehr zu sagen / Herr Peter Squentz hat nichts mehr auff meinen Zedel gemachet.
[27] *Bulla Butân trit ab | Meister Kricks komt gegangen.*
Cassandra. Behüt uns Gott / was sol dieses bedeuten?
P. Sq. Tugendsame Frau Königin / dieser ist der Monde.
Theodor. Jst dieser der Monde! und sihet so finster aus?
P. Sq. Ja Herr / er ist noch nicht in dem ersten viertel.
Theodor. So wolte ich wündschen den Voll-Mond zu sehen / sage mir doch mein lieber Monde / warumb hastu keine grössere Kertzen in die Laterne gestecket?
M. Kr. über und über. Das Spiel ist kurtz / darumb

---

3 *Schmeer:* Fett.

muß das Licht auch kurtz seyn / denn wenn sich Thisbe
ersticht / muß das Licht ausgehen / denn das bedeutet /
daß der Monde seinen Schein verlohren / das ist verfinstert worden.

Seren. Wir sind aber berichtet / der Monde könne nicht
verfinstert werden / er sey denn gantz voll.

M. Kr. über und über. Das mag Herr Peter Squentz
verantworten / denn diesem hat es also beliebet.

P. Sq. Ja ein Narr kan mehr fragen / als hundert weise
Leute antworten.

Violand. Dafern dieser Mond verfinstert wird / wird es
ein erschrecklich Schauspiel seyn.

M. Kr. über und über. Freylich / aber haltet die Fressen zu / und höret was ich sagen werde.

> Jtzund kom ich herein gehuncken /
> Ach lieben Leut ich bin nicht truncken /
> Jch bin geboren von Constant /
> Tinopel ist mein Vaterland /
> Jch fürchte es werd’ mir immer gehn /
> Wie meinem Vater ist geschehn.
> Derselbe hatt böse Füsse
> Und bieß nicht gern harte Nüsse.
> Die Augen werden mir so tunckel
> Sie sehen aus wie zwey Carfunckel /
> Jch schmiede wacker früe und spat
> Und sage / Gott gibt guten Rath /
> [28] Jch schmiede und schlage tapffer zu /
> Was ich thu muß mein Knecht auch thun /
> Nun nehm ich an ein neuen Orden /
> Und bin der heilge Mondschein worden /
> Bey diesem Glantz sol Thisbe sich /
> Erstechen dencket nur an mich /
> So schein / so schein du lieber Mon /
> Der frische Brunn kommt einher gohn.

M. Loll. Brunn.

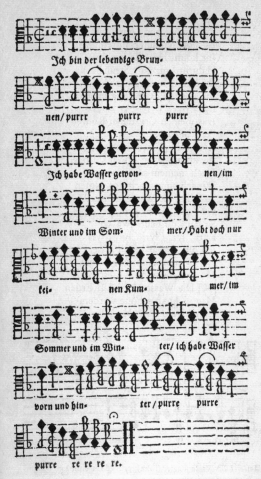

Ich bin der lebendige Brun-

nen/ purrr   purrr   purrr

Ich habe Waſſer gewon-   nen/ im

Winter und im Som-   mer/ Habt doch nur

lei-   nen Kum-   mer/ im

Sommer und im Win-   ter/ ich habe Waſſer

vorn und hin-   ter/ purre   purre

purre   re re re re.

Jch habe so gelauffen
Pur / pur / pur / pur / pur /
Es möchten all ersauffen.
Jhr könnt hier alle trincken /
Habt ihr nur gute Schincken /
Jhr könnt euch alle laben
Jhr sollet Wasser gnug haben
Pyr / pyr / pyr / pyr / pyr / pyr.
Aus meinen Crystallen Röhren
Per / per / per /
Könnt ihr Wasser lauffen hören
Jhr könt Wasser hören springen
Nach meinem süssen singen /
Wie ich singe nach den Noten
So fallen die Wasser-Knoten.
Per / per / per / per / per / per.
So lauff du helles Wasser
Lyri / lyri / lyri / lyri / lyri.
Jch bin fürwar kein Prasser.
Der Wassermann im Himmel
Macht kein so groß Getümmel
[30] Die Wasser-Lüß auff Erden
Mag nicht so schöne werden.
Lyri / lyri / lyri / lyri / lyri.

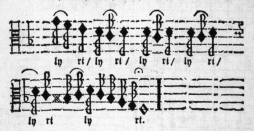

22 *Wasser-Lüß:* Wasserjungfer (Palm); vgl. jedoch Tittmann: Sumpf.

h e o d o r. Diesen Wassermann solten billich alle Calender-macher ad vivum in ihre Wetterbûcher setzen lassen.

e r e n. Jhr Liebden? der Herr Vater kan ihm pension an
praesentiren, vielleicht lâsst er sich in unsern Lustgarten
verdingen.

a s s a n d. Was ist das fûr ein Thier mit der grûnen Decke?

S q. Das ist der grimmige Lôwe.

u b. Ey / man hâtte ihm billich einen Zettel sollen anheff-
ten / daß er zu nennen wâre gewesen.

. K l.   Jhr lieben Leute erschrecket nicht.
          Ob ich gleich hab ein Lôwen Gesicht
          Jch bin kein rechter Lôw bey traun
          Ob ich gleich habe lange Klaun.
                              (*monstrat manus.*)
          Jch bin nur Klipperling der Schreiner /
          Ey Lieber glaubts ich bin sonst keiner
          Hier ist mein Schurtzfell und mein Hubel.
                              (*monstrat praecinctorium.*)
          Macht doch nicht einen solchen Trubel.
          Jch bin doch ja ein armer Schinder
          Und habe das Haus voll kleine Kinder /
          Die mir mit ihren Brodtaschen
          Das Geld in zwôlff Leib vernaschen;
          Die grosse Noth hat mich hieher getrieben /
          Es wâr sonst wol unter wegen blieben /
          Drumb hoff' ich unser Herr Kônig /
          [31] Der werd itzund angreiffen sich.
          Und uns armen Comoedianten
          Dafern wir nicht bestehn mit Schanden /
          Ein kleine Verehrung geben
          Deßwegen tragir' ich den Lôwen.

ad vivum: in lebensgetreuer Abbildung.

monstrat manus: er streckt seine menschlichen Hände aus dem Löwen-
kostüm hervor.

Hubel: Hobel.

monstrat praecinctorium: er zeigt seine (Schreiner-)Schürze.

Theodor. Der Lôwe kan bey Gott seine Nothdurfft wo
    melden / wir hôren in dieser Comoedi, was uns unse
    lebenlang weder vor Gesichte noch Ohren kommen / sag
    Lôwe hast du noch viel zu reden?

M. Kl. Nein / ich muß nur brüllen.

Thisbe.   Gott lob / die süsse Nacht ist nun kommen!
           O hått’ ich doch nun meinen Piramus ver-
           Wo find ich ihn? wo ist er hin?   ⌊nommen
           Nach ihm steht all mein Hertz und Sinn.
           Ey Piramus mein Auffenthalt /
           Ey bleib nicht lange! kom nur bald /
           Bey diesem Brunnen wird er erscheinen /
           Noch eher als man sol vermeinen /
           Jch wil mich hier was niedersetzen
           Und mich mit stiller Ruh ergetzen.
           Hilff Gott / was seh ich hier vor mir
           Ein grimmer Lôw ein bôses Thier!
           Der Lôwe fånget an zu mauen wie eine Katze

Thisbe.   Hier bleib ich nicht / es ist Zeit lauffen!
           O Himmel / ich fall über den hauffen
           O lieber Lôwe / laß mich leben!
           Jch wil dir gerne meine Schaube geben.
           Sie wil die Schaube wegwerffen / kan aber nicht
           weil sie zu feste angebunden / als sie endlich di
           Bånder zurissen / schlågt sie den Lôwen uml
           den Kopff / und laufft davon schreyend.
           [32] O weh / O weh! wie bang ist mir /
           O håt ich nur ein Trüncklein Bier
           Mein mattes Hertz damit zu laben /
           Mir ist als wer ich schon begraben.
           Thisbe entlaufft / der Lôwe stehet auff / nim
           die grüne Decke gleich einem Mantel umb di
           Achsel / und die Schaube in die Hand und trit
           neben den Monden.

---

10 *Auffenthalt:* Zuflucht, Schutz.

M. Kricks. Lôwe du môchtest nun wol hinein gehen.
Weist du nicht das Herr Peter Squentz gesaget / es stehe
seltzam und Bårenhåuterisch / wenn die Comoedianten
auff der Bûhne stehen / selber zu sehen / und Affen feyl
haben wollen!

M. Klipperl. Nein schau! was ist dir daran gelegen. Dir
zu trotz wil ich hier stehen.

M. Kr. ûber und ûber. Du hast ein Maul / man môchte
es mit Såudreck fûllen / und mit Eselsfûrtzen verbråmen.
Gehe vor den Hencker hinein / oder ich wil dir Beine
machen.

Mester Klipperl. Du Lahmer Frantzôsischer Schmied!
Du wilst mir Beine machen / ich sehe der Comoedi so
gerne zu als du oder ein anderer / trotz dir gesaget!

M. Loll. Haltet / haltet stille! ihr werdet mich umbstossen /
und mir das Wasser gar verschûtten!

M. Kricks. Was ist daran gelegen?
Der Mond schlågt dem Lôwen die Laterne umb den Kopff /
der Lôwe erwischet den Monden bey den Haaren / in
diesem Getûmmel werffen sie den Brunnen umb / und
zerbrechen ihm den Krug / der Brunn [33] schlåget bey-
den die Schårben umb die Ohren / P. Sq. wil Friede
machen / wird aber von allen dreyen darnieder gerissen /
und bekommt sein theil Schlåge auch darvon.

M. Loll. Ey es ist schade umb meinen schônen Topff / er
kostet mich 8. weisse Groschen und 3. Hel.

P. Sq. Friede / Friede / Pax vobis! schåmet ihr euch nicht!
haltet inn / haltet inn / Meister Mondenschein lasset gehen / Meister Brunn stehet auff. Haltet inn / sage ich / wer
nicht auffhôret / sol keinen Heller bekommen. Schåmet
euch doch vor ehrlichen Leuten. Meister Lôwe von hir!
von hir. Meister Mondenschein tretet wieder in die Ord-
nung / Thisbe holet einen andern Krug heraus. Meister

---

8 *Pax vobis!:* hier: Haltet Frieden!

Mondenschein lauffet geschwinde / und zůndet das Licht
wieder an / das war eine erschreckliche Sau!

S e r e n. Der Mond hat den Lôwen ziemlich beleuchtet / ich
halte er werde morgen braun und blau außsehen.

E u b u l. Der Monde ist in dem Zeichen deß Lôwen gewesen / und wird vielleicht auch nicht leer außgegangen
seyn?

V i o l a n d. Es ist eine erschreckliche Monden Finsternůß in
dem Lôwen gewesen. Wir môchten wissen was sie bedeuten wůrde.

P. S q. Was sol sie bedeuten? den Teuffel den elenden! und
gutte Schlåge.

T h e o d. Wir stunden in Meynung / der Lôwe wůrde auf
der Thisben Mantel junge Lôwen gebåren / wird dieses
nicht auch zusehen seyn?

P. S q. Meister Klipperling vermeinte / er håtte keine junge
Lôwen in dem Leibe / derowegen kônte er auch keine
außhecken.

T h e o d. Wie ists Herr Squentz. Wo bleiben die Personen
Wird niemand mehr hervor kommen?

P. S q. Ho Piramus! Piramus Piramus ho! machet doch [34
fort / wir mǔssen den Kônig nicht warten lassen wie einen
Narren.

T h i s b e. Piramus ist nicht hier. Er ist hinunter gegangen
und hat nur einmal trincken wollen. Darzu rieß es ihn se
sehr im Leibe.

P. S q. Daß wird wieder eine rechte Sau werden. Ey hertze
lieber Herr Kônig / habt mirs doch nicht vor übel / ih
sehet ja / daß es meine Schuld nicht sey / herein Piramus
daß euch der Geyer wieder hinaus fůhre.

P i r a m.   Diß ist die frôliche Stund /
           Darvon ich Thisbe deinen Mund
           Recht kůssen sol hinten und vorn /
           Jch mein' sie sitzt bey jenem Born!
           Wie werd ich dich mein Schatz umbfangen
           Nach dem mich lange thåt verlangen /

Jst sie nicht hier bey diesem Born
Was hab' ich mich so viel verworn!
Eh diese Stund ankommen ist /
Nun wil ich kůrtzlich sonder List
Sie fassen in den zarten Arm
Und drůcken / daß ihr Hertz wird warm.
Wie ist das nicht ihr Mantel hier /
Was gilts sie ist noch gar alhier?
O lieber Gott was sol das seyn!
Der Mantel blutet wie ein Schwein /
Daß man itzt abgestochen hat
Helfft lieben Freunde / was nun Rath?
Ein grimmes Thier hat sie erbissen /
Mir ist als hått' ich in die Hosen gesch.
Du grimmiges / bôses wildes Thier
Håttest du nur Dreck gefressen dafůr /
So wår dirs Maul nicht fedrig worden
Ey! Ey! das ist ein bôser Orden /
Ey was werd ich nun erdencken!
Jch werde mich fůr Angst erhencken /
[35] Ey nein / der Strick ist viel zu teur /
Der Hanff ist nicht gerahten heur /
O hått' ich meinen Degen bey mir
Mein Bauch den wolt ich geben dir /
Die Liebe hat mich so besessen /
Daß ich mein Schwerdt daheim vergessen.
Jch mag doch långer nicht hier bleiben /
Jch werde mich gewiß entleiben /
Jch lauffe mit dem Kopffe wider die Wand
Oder ersteche mich mit der Hand.
Er laufft und fållt über seinen Degen.
Nein Lieber / sich / was sol daß seyn /
Hab ich doch hier das Schwerdte mein.
Allons! nun ists mit mir gethan

14 *gesch.*: so abgekürzt in A und B.

Mein lieber Hals du must daran.
Ey es ist warlich schad umb mich /
Frisch auff mein Hertz und dich erstich.
Er zeucht den Degen aus / wendet sich gegen
den Zusehern und spricht.

Erschrecket nicht lieben Leute / ich ersteche mich nicht
recht / es ist nur Spiel / wer es nicht sehen kan / der gehe
hinaus oder mache die Augen zu / biß ich die schreckliche
That verrichtet habe.

Nun gesegne dich Gott Trincken und Essen /
Jhr Byrnen und ihr Aepffel / ich muß euer
Ade Ade all alt und jung /   ⌊vergessen:
Der Tod thut nach mir einen Sprung.
Gesegn' euch Gott klein und groß
Der Tod gibt mir itzt einen Stoß.
Er ziehlet eine lange weile mit dem Degen /
hernach wendet er sich zu den Zuhörern und
spricht.

[36] Ey Lieber fürchtet doch euch nicht so / es hat nichts
zu bedeuten / Seht / ich wil mich nur mit dem Knopfe
erstechen.

Hernach macht er das Wambst auff / setzet den
Knopff an die Brust / die Spitze an die Bühne /
fällt nieder / stehet hernach wieder auff / laufft
umb das gantze Theatrum herumb und fanget
an.
Nun hab ich mich gethan vom Brod /
Seht Lieber seht / ich bin stein tod /
Ach wie wird Thisbe mich beklagen /
Ey Lieber / lassts ihr doch nicht sagen.
Ade mein Leben hat ein End
Hie fall' ich auff Bauch / Kopff und Hånd.
Er fållet wieder nieder / heulet eine lange weile
verkehret die Augen im Kopffe / und schweiget
endlich / der Monden lescht sein Licht aus.

Theodor. Das ist ein erschrecklicher Tod / wer ihn nur
　　recht beweinen kônte.

Thisbe.　Sage Mond / wo ist dein gûldner Schein hin-
　　　　　Wie hastu so sehr abgenommen? ⌊kommen /
　　　　　Vorhin warest du lieblich und klar /
　　　　　Jtzt bist du finster gantz und gar.
　　　　　Wo werd ich den Piramus finden?
　　　　　Jch seh ihn noch nicht dort dahinden /
　　　　　Jch habe mich so mûde gelauffen /
　　　　　Mich dûrst so; môcht ich nur eins sauffen.
　　　　　[37] Jch wil ihn suchen in dem Graß
　　　　　Dort bey dem Brunn; was ist das?
　　　　　Sie fållet über Piramum, stehet auff und besihet
　　　　　ihn.
　　　　　Hilff Gott! es ist mein Piramus,
　　　　　Jch wil ihm stehlen einen Kuß /
　　　　　Dieweil er schlåfft in dieser Ecken
　　　　　Und sich ins grûne Graß thut stråcken /
　　　　　So kan ich sagen unverholen /
　　　　　Daß ich ihm einen Schmåtzerling abgestohlen.
　　　　　Sie kûsset ihn / Piramus schnappet nach ihr mit
　　　　　dem Maul.

Thisbe.　Schaut Lieber wie ist er so kalt /
　　　　　Und hat so eine bleiche Gestalt;
　　　　　Schaut wie ihm hangt der Hals und Kopff
　　　　　Ach er ist todt der arme Tropff!
　　　　　Ey Lieber / er hat sich erstochen
　　　　　Fûrwar ich hab es wol gerochen.
　　　　　Ach / ach / ach / ach / was fang ich an!
　　　　　Ach Thisbe was hast du gethan?
　　　　　Die Haar wil ich ausrauffen mir.
　　　　　Sie greifft ihm unter die Arme. (ridet.)
　　　　　Und dich beweinen fûr und fûr /
　　　　　O Piramus du edler Ritter /

32　*ridet:* der »tote« Pyramus muß lachen.

            Du allerschönster Muscowitter /
            Ey Piramus bist du denn todt?
            Ey sage mir doch für der letzten Noth /
            Nur noch ein einiges Wörtlein.

Piram.   Jch habe nichts mehr in meinem Zedelein.

Violand. Das gehet noch wol hin / wenn die Todten
reden können.

[38] P. Sq. Beim S. Stentzel / Piramus ihr seyd ja todt /
schämet euch für dem Teuffel! ihr müßt nichts sagen /
sondern stille liegen wie eine todte Sau.

Piram.   Ja / ja / ja ich wils schon machen!

Thisbe.   Was mach ich denn nu auff der Welt?
            Jch achte nun kein Gut und Geld
            Jch werde mich wol auch erstechen
            Oder mir ja den Hals entzwey brechen.
            O hätt ich nur den Pfeil alhie /
            Jch stäche mir den in die Knie /
            Doch er ist weit daheim im Schmeer
            Schaut / hier liegt Piramus' Gewehr.
            Gutte Nacht liebes Mütterlein /
            Es muß einmal gestorben seyn;
            Gute Nacht lieber alter Vater /
            Jhr allerschönster grauer Kater.
            Mein Piramus ich folge dir
            Wir bleiben beysammen für und für
            Ade mein liebes Mäuselein /
            Jch steche mich in mein Hertzhäuselein.
            Sie sticht sich mit dem Degen unter den Rock /
            wirfft hernach den Degen weg / und fällt auff
            Piramum, spricht.
            Schaut alle / nun bin ich verschieden
            Und lieg' allhier und schlaff' im Frieden.

Piram. Ey Thisbe, es schickt sich nicht also / die Weiber
müssen unten liegen.

---

8 *S. Stentzel:* Hl. Stanislaus.

Cassand. Erbårmlicher Zufall / ich habe gelacht / daß mir
    die Augen ůbergehen.
Violand. Wer wird denn die Todten begraben?
Piram. Wenn die Comoedianten abgegangen sind / wil ich
    Thisben selber weg tragen.
    [39] *Der Mond und Brunnen gehen stille davon | Piramus*
    stehet auff | Thisbe springet ihm auff die Achseln | Piram.
    trågt sie mit hinweg.
P. Sq.   Vorhin war ich ein Prològus,
         Jtzund bin ich der Epilògus.
         Hiermit endt sich die schöne Comoedie,
         Oder wie mans heist die Tragoedie,
         Darauß ihr alle solt nehmen an
         Lehr / Trost und Warnung jederman
         Lernet hieraus / wie gut es sey
         Daß man von Liebe bleibe frey.
         Lernet auch / wenn ihr habt eine Wund
         So ziht den Pfeil hinauß zur stund /
         Und stecket ihn in eine Pechmeste /
         So heilt es bald / ihr lieben Gåste
         Das ist fůrwar ein schöne Lehr.
         Ey Lieber sagt / was wolt ihr mehr?
         Doch tröstet euch daß es sey schön /
         Wenn man die Todten siht auffstehn /
         Jhr Jungfrauen nehmet diß in acht /
         Und diese Warnung wol betracht:
         Daß wenn ihr im Graß schlaffen wollt /
         Jhr nicht den Mund auffmachen sollt /
         So kreucht die Lieb' euch nicht in Hals
         Die Liebe die verderbet all's.
         Weiter sol sich auch niemands wundern /
         Das Wand / Löw / und auch Brunn besondern /
         Jn diesem Spiel haben geredt
         Mit wolbedacht man dieses thåt /

19 *Pechmeste:* hölzernes Traggefäß für Pech.

Der Kirchen-Lehrer Aesopus spricht
Daß ein Topff zu dem Topff sich gericht
[40] Und ihm Gesellschafft angetragen
Aber der eine wolts nicht wagen /
Auch narriret der Lôw den Schafen
Und thut sie umb Muthwillen straffen;
Derhalben kan es gar wol seyn /
Daß hier redet / Lôw und Brunnen fein.
Daß wir es so gedichtet haben /
Daß ein Todter den andern begraben /
Dasselbe ist geschehen mit Fleiß /
Mercket hievon was ich weiß /
Ein Christe trug einen todten Juden /
Den sie ihm auff die Schulter luden /
Und als er nun ging seinen Weg
Kam er zu einem engen Steg /
Beim selben stund ein tieffer Brunn /
Der Christ war heiß vom Jud und Sonn /
Drumb wolt er trincken frisches Wasser /
Aber der Jud / der lose Prasser /
Uberwug und zog so fein /
Den Christen mit inn Brunnen nein /
So hat der todte Jude begraben /
Den lebendigen Christen-Knaben /
Drumb glaubt / daß man es wol erlebt /
Daß ein Todter den andern begrâbt /
Es sey Winter / Sommer oder Lentz /
Wûnscht euch zu guter Nacht der Schulmeister
    und Kirchschreiber zu Rumpels-Kirchen
    Herr Peter Squentz.
Telos, Amen, dixi, finis, Ende.

Theodor. So hat nun diese Tragoedie ein Ende.
P. Sq. Ja Woledelgeborner Herr Kônig / und mangelt
nichts mehr als das Tranckgeld.

---

5 *narriret:* hier: unterhält sich mit.

Theodor. Wie / wenn wir es mit demselbten Actu mach-
ten / wie ihr mit der Geburt der jungen Löwen? das ist /
denselbten gar ausliessen.

41] P. Sq. Ey das müste der Teuffel haben! Ey Herr König /
was Narret ihr euch viel? Jch weiß wol ihr könnets nicht
lassen / ihr werdet uns ja was geben müssen?

Theodor. Herr Squentz / wir sehen daß euch bißweilen
Witz gebricht.

P. Sq. Vester Juncker König / Geld auch.

Theodor. Nun wir wollen sehen / wie der Sachen zu
rathen. Lasset uns hören / wie viel Säu ihr gemacht in euer
Tragoedie.

P. Sq. Herr König / ich weiß nicht wie viel ihr gezehlet
habet: Jch kam mit der Rechnung biß auff zehen.

Theodor. Was kostet eine Sau so groß als ihr in eurem
Dorffe?

P. Sq. Eine Sau? Eine Sau so groß als ich? die kostet / laß
schauen / wie viel giebet man vor eine Sau? zwölffe auch
15. gute Gülden.

Theodor. Nun saget mir: zehnmal 15. wie viel macht das
Gülden?

P. Sq. Bald / bald / verziehet / ich wil es in die Regul detri
setzen / eine Sau umb 15. Gülden / wie hoch kommen
zehen Säue?
*Er schreibet mit Kreide auff die Bühne / hernach fanget er
an.*
Auff den Füssen kommen sie.

Seren. Es fehlet nicht umb ein Haar / lehret ihr denn eure
Schüler nicht rechnen?

P. Sq. Ja freylich! Wolweiser Juncker / vor wen sehet ihr
mich an?

Seren. Was haltet ihr denn vor eine Weise?

P. Sq. Wenn sie können 1. mal 1. ist eins / und 2. mal 2. ist

---

9 *Vester Juncker:* hier unpassendes Prädikat des niederen Adels.
22 *Regul detri:* aus *regula de tri:* Dreisatz.

sieben / so gebe ich ihnen außgelernet / und mache sie zu
Rechenmeistern / so gut als Seckerwitz und Adam Riese
Seren. Diß müssen vortreffliche Leute werden.

P. Sq. So schlimm als kein Rentmeister.

[42] Theodor. Wol wol! Marschalck man befehle dem
Schatzmeister / daß man den Comoedianten so vielmal
15. Gülden gebe / als sie Säue gemacht.

P. Sq. Grossen danck / grossen danck lieber Herr König /
hätten wir dieses gewüst / wir wolten mehr Säu gemachet
haben. Doch ich höre wol / wir bekommen nur Tranckgeld für die Säu / und für die Comoedi nichts. Aber es
schadet nicht. Wir sind hiermit wol vergnüget. Gute
Nacht Herr König. Gute Nacht Frau Königin: gute
Nacht Juncker / gute Nacht Jungfer / gute Nacht ihr
Herren alle mit einander / nehmet vor dieses mal mit
unsern Säuen vor gut / auff ein andermal wollen wir deren
mehr machen / und so grosse / als der grösseste Bauer /
der unter dem gantzen Hauffen gewesen.

Theodor. Kurtzweils gnug vor diesen Abend / wir sind
müder vom Lachen / als vom Zusehen. Daß man die
Fackeln anzünde / und uns in das Zimmer begleite.

ENDE.

12 *vergnüget:* zufriedengestellt.

Zur Textgestalt

Der Text des vorliegenden Neudrucks wurde von Grund auf neu erstellt, und zwar auf der Basis der 1663 ohne Angabe des Erscheinungsorts und des Druckjahrs veröffentlichten Ausgabe letzter Hand (B):

> Absurda Comica | Oder | Herr Peter Squentz / | Schimpff-Spiel.

Sie erschien als selbständiger Anhang der Sammelausgabe:

> ANDREAE GRYPHII | Freuden | und | Trauer-Spiele | auch | Oden | und | Sonnette. | Jn Breßlau zu finden | Bey | Veit Jacob Treschern / Buchhåndl. | Leipzig / | Gedruckt bey Johann Erich Hahn. | Jm Jahr 1663.

Da separat paginiert, ließ sich das Stück ursprünglich sowohl einzeln als auch als Teil des obigen Sammelbandes verkaufen. Benutzt wurde das Exemplar der Staats- und Universitätsbibliothek Göttingen, Signatur: Poet. Dram. III 850. Die Exemplare der Universitätsbibliothek Basel, der Badischen Landesbibliothek Karlsruhe und der Herzog-August-Bibliothek Wolfenbüttel wurden zusätzlich zum Vergleich herangezogen.

Gliederung der *Absurda Comica* in der Ausgabe letzter Hand (B) von 1663:

[Aj^r]	Titelblatt (s. Faksimile S. 3)
[Aj^v]	vakat
Aij^r– [Aij^v]	Vorrede
Aiij^r	Personenverzeichnis
[2] – 42	Text des Schimpfspiels

Der Erstdruck (A) war – ebenfalls ohne Angabe des Erscheinungsorts und des Druckjahrs – bereits im Jahre 1658 unter identischem Titel erschienen. Beide Drucke stimmen in

Paginierung und Gliederung miteinander überein. B ist Neusatz und unterscheidet sich von A im wesentlichen durch Berichtigung vieler Errata sowie eine leicht modernisierte Orthographie. Wir entschlossen uns daher zur Zugrundelegung der verbesserten Ausgabe letzter Hand aus dem Jahre 1663.

Der Erstdruck wurde zu Vergleichszwecken mit herangezogen. Benutzt wurden die Exemplare der University Library Michigan in Ann Arbor sowie der Herzog-August-Bibliothek Wolfenbüttel. Da die beiden Drucke in vielen deutschen Bibliothekskatalogen unrichtig identifiziert sind, sei hier ein einfaches Unterscheidungsmerkmal genannt: Der Erstdruck beginnt mit dem fehlerhaften Wort »Großgüstiger«, das in der Ausgabe letzter Hand zu »Großgünstiger« berichtigt ist (S. 5, Z. 1).

Der auf B basierende, 1698 bei den Fellgiebelischen Erben in Breslau und Leipzig erschienene Neudruck (C) in der Sammelausgabe *Andreae Gryphii, um ein merckliches vermehrte Teutsche Gedichte*, herausgegeben vom Sohn des Dichters, Christian Gryphius, wurde nicht verwendet. Exemplare befinden sich u. a. in Wolfenbüttel und Yale.

Die Orthographie der Originalvorlage wurde grundsätzlich beibehalten und nur bei offensichtlichen Setzfehlern emendiert. Selbst hier gingen wir mit äußerster Behutsamkeit vor. Die Richtigkeit unserer Entscheidung, der Ausgabe letzter Hand den Vorzug über den Erstdruck zu geben, wird erhärtet durch die Tatsache, daß in der Ausgabe letzter Hand die große Mehrzahl der im Erstdruck vorhandenen Setzfehler bereits berichtigt sind; vgl. die Länge der beiden Erratalisten zu A bzw. B in der Gesamtausgabe, Bd. 7, S. XIX–XXII. Neben durchweg leicht modernisierter Orthographie (z. B. vnd > und, ie > je, auß > aus, wer > wår, hette > håtte, bistu > bist du, hastu > hast du, vornemb > vornehm usw.) lassen sich in B auch einige echte Textverbesserungen feststellen, die zur Lesbarkeit und leichteren Verständlichkeit für den modernen Leser beitragen. Entgegen dem Erstdruck »wieder mein wissen vnd willen« verbessert die Ausgabe letzter Hand bereits »wider mein Wissen und Willen« (22,24 f.); statt »tichtig erkand« in A steht in B schon »tůchtig erkant« (30,14). Selbst die ebenfalls neugesetzten Noten weisen gegenüber der Erstausgabe eine Anzahl kleiner Verbesserungen auf. So findet sich im Erstdruck u. a. auch die gänzlich verballhornte, etwas unklare Zeile »mit den nach bluttigen Fehlen«, wonach die 1969 erschienene Gesamtausgabe nur teilweise berichtigt: »mit den noch bluttigen Fehlen«. In der Ausgabe letzter Hand stand aber schon 1663 völlig korrekt: »mit den noch bluttigen Fellen« (12,17).

Nachstehende Liste verzeichnet sämtliche von uns in B vorgenommenen Änderungen. Soweit dieselben auf A beruhen, sind sie entsprechend gekennzeichnet.

Vorrede

5,9 belachtet (AB) > belachet – 5,12 also (AB) > als so – 6,1 Horribilicritrifan (AB) > Horribilicribrifan – 6,2 letzte (AB) > letzten.

Erster Auffzug

9,3 Peters (AB) > Peter – 9,20 Wollbestelter (B) > Wolbestelter (A) – 10,2 etwas (AB) > ewers – 10,13 Phaebussin (AB) > Phoebussin – 10,13 großmånlichen (AB) > großmåulichen – 10,14 Jhr (B) > Jhre (A) – 11,22 ein (AB) > eine – 12,9 werdet (AB) > wåret – 12,11 Schurtzfehl (AB) > Schurtzfell – 12,16 vil (B) > viel (A) – 13,1 liber (B) > lieber (A) – 13,13 Monden (B) > Monde (A) – 13,18 in (AB) > im – 13,29 spilen (B) > spielen (A) – 13,33 Calender-macher (B) > Calendermacher (A) – 14,26 doch (B) > doch / (A) – 16,20 sihet (B) > siehet (A) – 17,5 schir (B) > schier (A) – 17,9 das (AB) > des.

Der Ander Auffzug

19,2 Eubudus (AB) > Eubulus – 19,32 Teuffel / ein (AB) >
Teuffel. Ein – 20,1 f. erfreulich. Von (AB) > erfreulich von
– 21,2 f. Kŏnigreich (B) > Kŏnigreiche (A) – 21,10 Niesiche
(AB) > Niesische – 21,16 f. Roßmarien Gassen (B) > Rosmarin-Gassen – 22,15 mŏchten (AB) > mŏchten – 22,31 zu
wege (B) > zuwege – 23,16 demselben (B) > denselben (A) –
23,18 eine (AB) > keine – 23,28 Affentheurlich (B) >
Affentheuerlich – 24,19 Abtruckung (AB) > Abtrucknung –
24,23 Eubud. > Eubul.

Der Dritte Auffzug

25,14 Eubud. (AB) > Eubul. – 25,23 Eubud. (AB) > Eubul.
– 25,29 alle (B) > allen eine (A) – 25,30 Diese (AB) > Dieses
– 26,1 Vers / (AB) > Vers – 26,2 Jhr (AB) > Jhrer – 26,19
stillschweigen (AB) > Stillschweigen – 26,27 zu letzt (B) >
zuletzt (A) – 28,8 last (B) > lasst (A) – 28,31 Bullabutăn / >
Bullabutăn – 29,20 leiden (AB) > leider – 29,22 Eubud.
(AB) > Eubul. – 29,24 last (B) > lasst (A) – 30,11 Blase-
balcke Erfinder (B) > Blasebalcke-Erfinder – 30,15 seyn (B)
> sein (A) – 30,16 hir (B) > hier (A) – 30,20 mahl (B) > mal
(A) – 30,23 ander (B) > andere (A) – 31,11 Wandt (B) >
Wand (A) – 31,12 Wandt (B) > Wand (A) – 31,14 Wandt (B)
> Wand (A) – 31,16 Wandt (B) > Wand (A) – 32,28 seyn
(B) > sein (A) – 33,27 Pfeil sich lieber sich (AB) > Pfeil!
Sich / Lieber / sich! (Tittmann, Palm) – 33,29 hausen (B) >
haussen (A) – 34,14 armen (B) > armem (A) – 35,25 Sqentz
(B) > Squentz (A) – 37,10 antantworten (B) > antworten
(A) – 36,17 gebohren (B) > geboren (A) – 39,6 vor (B) > fŭr
(A) – 39,26 hoff (B) > hoff' (A) – 40,12 wird (B) > wird er
(A) – 41,19 Haaren (B) > Haaren / (A) – 42,1 Liecht (B) >
Licht (A) – 42,5 Eubud. (AB) > Eubul. – 43,1 hir (B) > hier
(A) – 43,17 wer (AB) > wăr – 43,22 her (B) > heur (A) –
43,23 hătt (B) > hătt' (A) – 43,27 hie (B) > hier (A) – 43,32

Nein lieber sich (AB) > Nein Lieber / sich / (Tittmann,
Palm) – 44,10 trincken (B) > Trincken (A) – 44,10 essen (B)
> Essen (A) – 44,13 Todt (B) > Tod (A) – 44,15 Todt (B) >
Tod (A) – 44,32 fall (B) > fall' (A) – 45,32 unter (B) > ihm
unter (A) – 45,32 Armen (AB) > Arme – 46,17 denn (B) >
den (A) – 46,19 Piramus (B) > Piramus' – 47,22 lieber (AB)
> Lieber – 47,30 all's (AB) > all's. – 48,28 Wůndscht (B) >
Wůnscht (A) – 50,11 nichts (B) > nichts. (A).

Aufgrund der Umstellung von Fraktur auf Antiqua mußte
auf die im Barock übliche Auszeichnung von Fremdwörtern
verzichtet werden. Damit entfielen auch Frakturlettern wie
ſ > s, doch konnte der zeitgenössische Schriftcharakter
durch Beibehaltung å, ô und ů gewahrt werden. Auch in der
Verwendung von u und v (und entsprechend von U und V)
sowie dem ausschließlichen Gebrauch des J am Wortanfang
(mit Ausnahme von Fremdwörtern) folgt unsere Edition
stets der Ausgabe letzter Hand. Der leichteren Lesbarkeit
halber wurden die Abbreviaturen ē > en, m̄ > mm oder mb,
n̄ > nn oder nd sowie die Ligaturen Æ > Ae, æ > ae und
œ > oe aufgelöst. Kopfstehende Buchstaben wurden stillschweigend korrigiert.
Die im Original teilweise unübersichtlich im Satz versteck-
ten Bühnenanweisungen wurden durch Kursivsatz und – wo
nötig – runde Klammern hervorgehoben. Abkürzungen der
Personennamen wurden nicht vereinheitlicht, sondern er-
scheinen wie im Original. Die Paginierung bzw. Blattzäh-
lung der Ausgabe letzter Hand ist in eckigen Klammern
wiedergegeben. Sie bezieht sich jeweils auf den Seitenanfang
des Originals. Auf zusätzliche Angabe der Bogensignaturen
konnte dank der durchlaufenden Seitenzählung des Originals verzichtet werden. Die durch das ganze Stück einheit-
lich lautenden Kolumnentitel (links *Herr Peter Squentz*,
rechts *Schimpff-Spiel*) wurden durch Aktangaben ersetzt.
Die Zeilenzählung wurde neu eingeführt.

Literaturhinweise

Drucke des 17. Jahrhunderts

A) Absurda Comica. Oder Herr Peter Squentz, Schimpff-Spiel. [Breslau 1658.]
B) Absurda Comica. Oder Herr Peter Squentz, Schimpff-Spiel. [Breslau 1663.]
C) Absurda Comica. Oder Herr Peter Squentz. – In: Andreae Gryphii, um ein merckliches vermehrte Teutsche Gedichte. Hrsg. von Christian Gryphius. Breslau/Leipzig 1698.

Neudrucke und Bearbeitungen

Weise, Christian: Lustiges Nachspiel / Wie etwan vor diesem von Peter Squentz aufgeführet worden / von Tobias und der Schwalbe / gehalten den 12. Febr. 1682. In: C. W.: Zittauisches Theatrum Wie solches Anno MDCLXXXII praesentiret worden. Zittau 1683. – Neudr. Hrsg. von Richard Genée. Berlin 1882. Dass. Hrsg. von Otto Lachmann. Leipzig [1885].

Herr Peter Squenz. In einem kurzweiligen Lust-Spiel vorgestellt. Frankfurt a. M. 1750.

Bredow, Gottfried Gabriel: Herr Peter Squenz oder Pyramus und Thisbe. Schimpfspiel in zwei Handlungen nach Andreas Greif. In: G. G. B.: Nachgelassene Schriften. Hrsg. von J. G. Kunisch. Breslau 1816. S. 119–204.

Absurda Comica. Oder Herr Peter Squentz. Schimpff-Spiel. In: Deutsches Theater. Hrsg. von Ludewig Tieck. Bd. 2. Berlin 1817. S. 233–271.

Absurda Comica oder Herr Peter Squenz. Schimpfspiel. In: Dramatische Dichtungen von Andreas Gryphius. Hrsg. von Julius Tittmann. Leipzig 1870. S. 165–200. (Deutsche Dichter des 17. Jahrhunderts. Bd. 4.)

Peter Squenz. Schimpfspiel von Andreas Gryphius. (Neud
der Ausg. von 1663.) Hrsg. von Wilhelm Braune. Hall
1877. (Neudrucke deutscher Literaturwerke des 16. un
17. Jahrhunderts. Bd. 6.)

Andreas Gryphius: Herr Peter Squenz. Scherzspiel in zwe
Aufzügen. Für die Jugend- und Volksbühne bearb. vo
Heinrich Lindau. Leipzig 1920. (Jugend- und Volksbüh
ne. H. 365.)

Andreas Gryphius: Herr Peter Squenz oder Absurd
Comica. (Neudr. der von Gryphius selbst redigierte
Ausg. von 1663.) Mit Originalholzschnitten von Ma
Unold. Berlin 1924.

Absurda Comica oder Herr Peter Squenz. Schimpfspiel i
drei Aufzügen von Andreas Gryphius. Für die heutig
Leserwelt hrsg. von Karl Pannier. Leipzig 1877. ²1931
(Reclams Universal-Bibliothek. Nr. 917.)

Andreas Gryphius: Absurda Comica oder Herr Pete
Squenz. Nach der Ausg. von Karl Pannier. Mit eine
Einf. von Ignaz Gentges. Leipzig 1939. (Reclams Univer
sal-Bibliothek. Nr. 917.)

Andreas Gryphius: Peter Squentz. Schimpfspiel. (Neudr
der Ausg. von 1663.) Vorw. von Henrik Becker. Hall
²1955. (Neudrucke deutscher Literaturwerke des 16. un
17. Jahrhunderts. Bd. 6.)

Andreas Gryphius: Absurda comica oder Herr Pete
Squenz. Schimpfspiel in drei Aufzügen. Hrsg. von Her
bert Cysarz. Stuttgart 1954 [u. ö.]. (Reclams Universal
Bibliothek. Nr. 917.)

Andreas Gryphius: Absurda Comica oder Herr Pete
Squenz. Schimpfspiel in 3 Aufzügen. Hrsg. von Siegfrie
Streller. Leipzig 1955.

Andreas Gryphius: Herr Peter Squenz nach Daniel Schwen
ter. Eingerichtet und in die Sprache unserer Zeit gebrach
von Georg Gustav Wießner. Kassel/Basel 1957. (Bärenrei
ter-Laienspiele. Nr. 298.)

Andreas Gryphius: Herr Peter Squentz (Absurda Comica oder Herr Peter Squentz). Schimpf-Spiel. In modernes Neuhochdeutsch übertr. von Siegfried Rother. – Aemilius Paulus Papinianus (Grossmütiger Rechts-Gelehrter oder Sterbender Aemilius Paulus Papinianus. Auszug). Trauerspiel. Einf. und Bearb. von Albrecht Weber. Bamberg/Wiesbaden 1959. (Am Born der Weltliteratur. Reihe A. H. 31.)

Andreas Gryphius, Absurda Comica oder Herr Peter Squentz. Schimpff-Spiel. In: A. G.: Lustspiele. Hrsg. von Hermann Palm. (Nachdr. der Ausg. Tübingen 1878.) Mit einem Vorw. zur Neuausg. von Eberhard Mannack. Darmstadt/Hildesheim 1961. (Bibliothek des literarischen Vereins in Stuttgart. Bd. 138.) S. 7–54.

Andreas Gryphius: Absurda comica oder Herr Peter Squenz. Scherzspiel. Bearb. von Rosemarie Zimmermann. Leipzig 1962. (Hofmeister-Spiele.)

Andreas Gryphius: Absurda Comica. Oder Herr Peter Squentz. Schimpff-Spiel. In: Das Zeitalter des Barock. Texte und Zeugnisse. Hrsg. von Albrecht Schöne. 2., verb. und erw. Aufl. München 1968. (Die deutsche Literatur. Texte und Zeugnisse. Bd. 3.) S. 1017–46.

Andreas Gryphius: Herr Peter Squenz. Ed. with introd. and comm. by Hugh Powell. Leicester ²1969.

Andreas Gryphius: Absurda Comica oder Herr Peter Squentz. In: A. G.: Werke in einem Band. Ausgew. und eingel. von Marian Szyrocki. Weimar ³1969. (Bibliothek deutscher Klassiker.) S. 171–212.

Andreas Gryphius: Absurda Comica oder Herr Peter Squentz. In: A. G.: Gesamtausgabe der deutschsprachigen Werke. Hrsg. von Marian Szyrocki und Hugh Powell. Bd. 7: Lustspiele 1. Hrsg. von Hugh Powell. Tübingen 1969. (Neudrucke deutscher Literaturwerke. N. F. Bd. 21.) S. 1–40.

Andreas Gryphius: Absurda Comica. Oder Herr Peter Squentz, Schimpff-Spiel. In: Gryphius' Werke. Hrsg.

von Hermann Palm. (Nachdr. der Ausg. Berlin/Stuttga[r]t
1883.) Tokyo/Tübingen 1974. (Deutsche National-Litera[tur].
tur. Bd. 29.) S. 191–236.
Andreas Gryphius: Absurda Comica oder Herr Pet[er]
Squentz. Schimpff-Spiel. In: A. G.: Die Lustspiele. Hrs[g.]
von Heinz Ludwig Arnold. München 1975. (dtv-Biblio[-]
thek. Nr. 6034.) S. 21–60.

Literatur zu »Absurda Comica Oder Herr Peter Squentz«

Baesecke, Anna: Das Schauspiel der englischen Komödian[-]
ten in Deutschland. Seine dramatische Form und sein[e]
Entwicklung. Halle 1935. (Studien zur englischen Philo[-]
logie. H. 87.)
Brennecke, Ernest: Shakespeare in Germany. 1590–1700[.]
With Translations of Five Early Plays. Chicago 1964.
Brett-Evans, David: Der »Sommernachtstraum« i[n]
Deutschland. 1600–1650. In: Zeitschrift für deutsche Ph[i-]
lologie 77 (1958) S. 371–383.
– Andreas Gryphius and the Elizabethan Drama. M. [A.]
Thesis Cardiff 1950. [Masch.]
Bücheler, Walther: »Herr Peter Squenz« von Andreas Gr[y-]
phius. In: Die pädagogische Provinz 10 (1956) S. 561–56[7.]
Burg, Fritz: Über die Entwicklung des Peter-Squenz-Stoffe[s]
bis Gryphius. In: Zeitschrift für deutsches Altertum 2[5]
(1881) S. 130–170.
Catholy, Eckehard: Das deutsche Lustspiel. Vom Mittelalt[er]
bis zum nahen Ende der Barockzeit. Stuttgart 1969. (Spra[-]
che und Literatur. Bd. 47.)
Cohn, Albert: Shakespeare in Germany in the Sixteenth an[d]
Seventeenth Centuries: An Account of English Actors i[n]
Germany and the Netherlands and of the Plays Performe[d]
by them during the Same Period. (Nachdr. der Aus[g.]
Berlin 1865.) Wiesbaden 1964.
Creizenach, Wilhelm (Hrsg.): Die Schauspiele der englische[n]

Komödianten. (Nachdr. der Ausg. Berlin 1889.) Darmstadt 1967. (Deutsche National-Literatur. Bd. 23.)

Elsner, Roland: Zeichen und literarische Praxis. Theorie der Literatur und die Praxis des Andreas Gryphius im »Peter Squenz«. München 1977.

Emmerling, Hans: Untersuchungen zur Handlungsstruktur der deutschen Barockkomödie. Diss. Saarbrücken 1961. [Masch.]

Fein, Norbert: Die deutschen Nachahmer des Rüpelspiels aus Shakespeares »Sommernachtstraum«. Diss. Wien 1909. [Masch.] – Dass. als Schulprogr. Brünn 1914.

Genée, Rudolph: Lehr- und Wanderjahre des deutschen Schauspiels. Vom Beginn der Reformation bis zur Mitte des 18. Jahrhunderts. Berlin 1882.

Gundolf, Friedrich: Shakespeare und der deutsche Geist. München/Düsseldorf [11]1959. (Leipzig [1]1911.)

Hart, Georg: Ursprung und Verbreitung der Pyramus- und Thisbe-Sage: Altertum, Deutschland und Frankreich. Passau 1889. (Beilage zum Jahresbericht der Kreisrealschule in Passau.)

Hartmann, Horst: Die Entwicklung des deutschen Lustspiels von Gryphius bis Weise (1648–1688). Diss. Potsdam (PH) 1960. [Masch.]

Hitzigrath, Heinrich: Andreas Gryphius als Lustspieldichter. Schulprogr. Wittenberg 1885.

Kaiser, Gerhard: Absurda Comica. Oder Herr Peter Squentz. In: Die Dramen des Andreas Gryphius. Eine Sammlung von Einzelinterpretationen. Hrsg. von G. K. Stuttgart 1968. S. 207–225.

Keppler, Ernst: Andreas Gryphius und Shakespeare. Diss. Tübingen 1921. [Masch.]

Kindermann, Heinz: Theatergeschichte Europas. Bd. 3: Das Theater der Barockzeit. Salzburg 1959.

Kollewijn, Roeland Anthonie: Über die Quelle des Peter Squenz. In: Archiv für Literaturgeschichte 9 (1880) S. 445–452.

Lebede, Hans: Das Rüpelspiel bei Shakespeare und Gry
   phius. In: Der Zwinger 5 (1921) S. 233–240.

Mannack, Eberhard: Andreas Gryphius' Lustspiele – ihr
   Herkunft, ihre Motive und ihre Entwicklung. In: Eupho
   rion 58 (1964) S. 1–40.

– Politik-gesellschaftliche Strategie der Peter-Squentz-Ko
   mödie. In: Festschrift für Elida Maria Szarota. Hrsg. vo
   Richard Brinkmann [u. a.]. München 1982. S. 311–323.

Martini, Fritz: Lustspiele – und das Lustspiel. Stuttgar
   1974.

Meyer von Waldeck, Friedrich: Der Peter Squenz vo
   Andreas Gryphius, eine Verspottung des Hans Sachs. In
   Vierteljahrschrift für Literaturgeschichte 1 (1888) S. 19
   bis 212.

Michelsen, Peter: Zur Frage der Verfasserschaft des ›Pete
   Squentz‹. In: Euphorion 63 (1969) S. 54–65.

Nakada, Yoshiki: Absurda Comica oder Herr Peter Squentz
   Schimpff-Spiel von Andreas Gryphius. In: Doitsu Bun
   gaku 36 (1966) S. 40–49. [Japan. mit dt. Zusammenfas
   sung.]

Pease, Russell C.: The Sources of »Peter Squentz«. M. A
   Thesis University of North Carolina 1965. [Masch.]

Price, Lawrence Marsden: Die Aufnahme englischer Litera
   tur in Deutschland 1500–1960. Bern/München 1961. [Rez
   von Peter Michelsen. In: Göttingische Gelehrte Anzeige
   220 (1968) S. 245 ff.]

Schade, Richard: Absurda Cosmica. Zum astrologische
   Moment in »Herr Peter Squentz«. In: Text und Kritil
   H. 7/8 (1980) S. 80–84.

– Approaches to »Herr Peter Squentz«. Persona, Play, an
   Parable. In: Colloquia Germanica 13 (1980) S. 289–302

Schaer, Alfred: Die dramatischen Bearbeitungen der Pyra
   mus-Thisbe-Sage in Deutschland im 16. und 17. Jahrhun
   dert. (Habil.-Schr. Zürich 1909.) Schkeuditz 1909.

– (Hrsg.): Drei deutsche Pyramus-Thisbe-Spiele. 1581 bi

1607. Tübingen 1911. (Bibliothek des literarischen Vereins in Stuttgart. Bd. 255.)

Schlegel, Johann Elias: Vergleichung Shakespears und Andreas Gryphs. (Nachdr. der Ausg. 1741.) Hrsg. mit Anh. und Nachw. von Hugh Powell. Leicester 1964.

Schlienger, Armin: »Herr Peter Squentz / Schimpff-Spiel.« In: A. S.: Das Komische in den Komödien des Andreas Gryphius. Ein Beitrag zu Ernst und Scherz im Barocktheater. Bern 1970. (Europäische Hochschulschriften. R. 1. Bd. 28.)

Schmeling, Manfred: Gryphius' Peter Squentz. In: M. Sch.: Das Spiel im Spiel. [Stuttgart] 1977. (Deutsche und vergleichende Literaturwissenschaft. Bd. 3.) S. 73–85.

Schmidt, Erich: Aus dem Nachleben des Peter Squenz und des Doctor Faust. In: Zeitschrift für deutsches Altertum 26 (1882) S. 244–252.

Schmitt-von Mühlenfels, Fritz: Pyramus und Thisbe. Rezeptionstypen eines Ovidischen Stoffes in Literatur, Kunst und Musik. Heidelberg 1972. (Studien zum Fortwirken der Antike. Bd. 6.)

Ugo, Bianca Dèttore / Wührl, Paul W.: Absurda Comica oder Herr Peter Squentz. Schimpf-Spiel. In: Kindlers Literatur Lexikon. Bd. 1. München 1965. S. 52 f.

Wießner, Georg Gustav: Der ›Peter Squenz‹ der Laienspiele der Volkshochschule Nürnberg. In: Mitteilungen aus der Stadtbibliothek Nürnberg 6 (1957) H. 2. S. 12–14.

Nachwort

In der noch ungeschriebenen deutschen Rezeptionsge-
schichte[1] von Shakespeares *Sommernachtstraum* bildet Andreas Gryphius' Schimpfspiel *Absurda Comica Oder Herr
Peter Squentz* eines der frühen bedeutenden Glieder inner-
halb der langen Kette von Übersetzungen, Nachahmungen,
Bearbeitungen und Vertonungen, die von den ersten Insze-
nierungsversuchen der englischen Wanderbühnen im
Deutschland des 17. Jahrhunderts über die romantisch-poe-
tische Uraufführung durch Ludwig Tieck, Mendelssohn-
Bartholdys kongeniale Bühnenmusik bis zu Max Reinhardts
antiromantischer Bühnenversion und der modernen, drama-
turgisch revolutionierenden Interpretation von Jan Kott
reicht. Bei aller damaligen Skepsis gegenüber dem literarischen Wert von Gryphius' Komödie glaubte man doch
schon im 18. Jahrhundert[2] im *Peter Squentz* einen unmittel-
baren Beleg für den Einfluß Shakespeares auf die Epoche des
17. Jahrhunderts zu besitzen – eine geistreiche Konstruk-
tion, die sich in der Romantik zu einer Idée fixe steigerte,
um die frühe suggestive Wirkung Shakespeares auf den
deutschen Geist zu demonstrieren.

Indes widerspricht einem derart vorschnellen und simplifi-
zierenden Vergleich zwischen Gryphius und Shakespeare
schon nachdrücklich die Vorrede; sie gibt über das in Wirk-
lichkeit komplexe Rezeptionsverhältnis eindeutig und
durchaus glaubhaft Auskunft. Nach Gryphius' eigener Aus-
sage ist der eigentliche Verfasser des *Peter Squentz*, der ihn
auch »zum ersten [...] auff den Schauplatz geführet« (S. 5),

---

1 Zu den Ansätzen vgl. David Brett-Evans, »Der ›Sommernachtstraum‹ in
Deutschland. 1600–1650«, in: *Zeitschrift für deutsche Philologie* 77 (1958)
S. 371–383, sowie Lawrence Marsden Price, *Die Aufnahme englischer Litera-
tur in Deutschland 1500–1960*, Bern/München 1961, S. 38 ff.
2 Vgl. Johann Elias Schlegel, *Vergleichung Shakespears und Andreas Gryphs*,
Nachdr. der Ausg. 1741, hrsg. mit Anh. und Nachw. von Hugh Powell,
Leicester 1964, S. 45.

der berühmte Altdorfer Professor für Mathematik und
orientalische Sprachen, Daniel Schwenter (1585–1636)[3]. In
dieser Form lernt Gryphius das Stück kennen, überarbeitet
es und läßt es dann zusammen mit einem seiner Trauerspiele
aufführen, bis es erst nach längerer Zeit schließlich im Druck
erscheint. Da das Spiel Daniel Schwenters bis heute nicht
aufgefunden ist, sind alle weiteren, über Gryphius' eigene
Darstellung der Entstehungsgeschichte hinausgehenden Re-
konstruktionsversuche der Quellenlage[4] als rein hypothe-
tisch anzusehen. Dennoch darf man als sicher annehmen,
daß auch Schwenter nicht unmittelbar aus Shakespeare
geschöpft hat, sondern mit dem Stoff nur auf dem Umweg
über eine Bearbeitung des *Sommernachtstraums* auf der
Bühne der englischen Komödianten[5] bekannt wurde. Gegen
eine direkte Beziehung Schwenter (Gryphius) – Shakespeare
sprechen schon die in der *Absurda Comica* verballhornten
Namen der englischen Handwerker, Quince als Squentz
und Bully Bottom als Bulla Butä(i)n. Bei der Vorlage aus
dem Repertoire der englischen Wanderkomödianten mag es
sich um ein ähnliches Stück gehandelt haben, wie es Johann
Rist, ein Zeitgenosse Schwenters, im Jahre 1666 ausführlich
beschreibt[6], das sowohl im Sujet als auch in der Rahmenhandlung eine geradezu frappante Ähnlichkeit mit der
Absurda Comica aufweist. Selbst Pickelhering ist bereits
vorhanden, übernimmt hier jedoch die Rolle Thisbes statt
der des Pyramus. Die bei Rist wörtlich zitierten Verse aus

3 Zu Daniel Schwenters Biographie vgl. *Allgemeine Deutsche Biographie* 33
(1891) S. 413 f. (Cantor).
4 Vgl. Russell C. Pease, *The Sources of »Peter Squentz«*, M. A. Thesis University of North Carolina 1965 [Masch.].
5 Vgl. Ernest Brennecke, *Shakespeare in Germany. 1590–1700*, Chicago 1964,
S. 1 ff. und 52 ff. – Zu den Parallelen zwischen *Peter Squentz* und dem
Sommernachtstraum vgl. Ernst Keppler, *Andreas Gryphius und Shakespeare*,
Diss. Tübingen 1921 [Masch.], S. 26 ff.
6 Vgl. Johann Rist, *Die alleredelste Belustigung*, in: J. R., *Sämtliche Werke*,
hrsg. von Eberhard Mannack, Bd. 5, Berlin 1974 (Ausgaben deutscher Literatur des 15. bis 18. Jahrhunderts), S. 267–303.

hisbes Selbstmordszene bieten interessante Vergleichsmög-
chkeiten:

> Ach Piramus du treues Hertz /
> was fühle ich einen grossen Schmertz /
> ich kan für Heulen nicht mehr singen /
> ich wil mich auch üms Leben bringen.[7]

Wenn auch inhaltlich mit denen des Gryphius übereinstim-
mend, weichen die von unbekannter Hand stammenden
Verse im übrigen völlig von der *Absurda Comica* ab; vgl.
46.

Sieht man ferner den Bericht Johann Balthasar Schupps,
eines weiteren Zeitgenossen, über eine Nürnberger Aufführung[8] des Shakespeareschen Rüpelspiels in Betracht, das
entweder auf der Meistersingerbühne aufgeführt oder von
einer Wandertruppe vorgestellt wurde, so muß auch mit
dem Einfluß der lokalen Theatertradition auf Schwenters
Spielkonzept gerechnet werden. Dies gilt, abgesehen von
der Rahmenhandlung, ebenso für Shakespeares »lamentable
comedy« (*A Midsummer Night's Dream* I,2) von Pyramus
und Thisbe; weist doch diese englische Bearbeitung des
Stoffes aus den *Metamorphosen* des Ovid gegenüber ihrem
Seitenstück im *Peter Squentz* solche gravierenden Unter-
schiede auf, daß man selbst für Schwenters Vorlage bereits
die Einwirkung der deutschen humanistischen Pyramus-
Thisbe-Bearbeitungen[9] berücksichtigen muß.

Beim Übergang von Schwenter zu Gryphius kompliziert
sich die Quellenfrage weiter. Man darf wohl annehmen, daß
Gryphius bei seiner Überarbeitung ebenfalls auf die schon

Ebd., S. 301.

Vgl. Brett-Evans, »Der ›Sommernachtstraum‹ in Deutschland«, S. 377 f.

Vgl. Alfred Schaer, *Die dramatischen Bearbeitungen der Pyramus-Thisbe-*
ge in Deutschland im 16. und 17. Jahrhundert, Habil.-Schr. Zürich 1909. –
Zur Entwicklung der Stoff- und Motivgeschichte vgl. Fritz Schmitt-von Müh-
lenfels, *Pyramus und Thisbe. Rezeptionstypen eines Ovidischen Stoffes in*
Literatur, Kunst und Musik, Heidelberg 1972 (Studien zum Fortwirken der
Antike, Bd. 6), S. 145 ff.

Schwenter bekannten Quellen zurückgegriffen, andererse
aber auch Anregungen aus neueren Bearbeitungen d
Stoffs[10] übernommen hat. Diese Vermutung stützt ein Hi
weis aus der Vorrede zum *Peter Squentz*. Wenn Gryphi
dort versichert, das Schwentersche Spiel »besser ausger
stet« und »mit neuen Personen vermehret« (S. 5) zu habe
dann wird man bei dieser zusätzlichen Einführung v
Personal vor allem an die Mitglieder des königlichen Ho
staats (»zusehende Personen«) und weniger an eine Verme
rung der ohnehin in sich geschlossenen Handwerkergrup
(»spielende Personen«) zu denken haben.

Hieraus ergeben sich bemerkenswerte Rückschlüsse auf d
Fabel der Schwenterschen Komödie: Im Mittelpunkt ein
Art Nürnberger Lokalposse dürfte die Verspottung d
überlebten zunftmäßigen Meistersangs[11] und seines sozial
Dünkels gestanden haben, wie er bei Gryphius nur noch
der Figur des Meistersingers Lollinger kritisch apostrophie
wird. Eine solche Intention vorausgesetzt, verliert der Au
tritt der königlichen Akteure gegenüber dem *Peter Squen*
offensichtlich seine dramaturgische Funktion, abgesehen
davon, daß eine solche sozial pointierte Figurenkonstell
tion[12] für das Publikum einer freien Reichsstadt wohl all
sehr aus dem Rahmen der üblichen theatralischen Spektak
gefallen wäre. Bei Gryphius dagegen rückt die Satire auf d
Meistersinger in den Hintergrund; an ihre Stelle tritt d
Thematisierung des Ständegegensatzes als komisches M

10 Roeland Anthonie Kollewijn, »Über die Quelle des Peter Squenz«,
Archiv für Literaturgeschichte 9 (1880) S. 445–452, verweist auf einen derar
gen späteren Einfluß durch das Spiel des Holländers Matthijs Gramsberg
Kluchtige Tragoedie of den Hartoog van Pierlepon (1650).
11 Vgl. Friedrich Meyer von Waldeck, »Der Peter Squenz von Andr
Gryphius, eine Verspottung des Hans Sachs«, in: Vierteljahrschrift für Lite
turgeschichte 1 (1888) S. 195–212. Waldeck schreibt, allerdings ohne näh
Begründung, die Abwertung der Meistersinger einseitig Gryphius zu.
12 Brett-Evans, »Der ›Sommernachtstraum‹ in Deutschland«, S. 377, bezw
felt ebenfalls die Existenz eines aristokratischen Rahmens in Schwenters M
stersinger-Spiel.

ent, das seine Wirkung aus dem Kontrast von spielenden
nd zusehenden Personen bezieht. Schwenters ursprünglich
neare Handlungsabfolge erweitert sich so im *Peter Squentz*
a einer vielschichtig nuancierten Konfiguration. Der nur in
ayern und Franken heimische Ausdruck »grüseln« (S. 33)
estätigt im übrigen die tatsächliche Präexistenz eines Stük-
es des Nürnbergers Schwenter.

a Gryphius den schon in der Spielfassung der Wander-
ühne vorhandenen aristokratischen Rahmen rekonstruiert,
ellt sich die Frage nach den Gründen für diesen Themen-
echsel, der die Schwentersche Vorlage so einschneidend
erändert hat. Diese hängen eng mit der noch ungeklärten
erfasserfrage des *Peter Squentz* zusammen, die unmittelbar
ur Entstehungsgeschichte führt. Zur Verfasserfrage: Peter
Michelsen[13] hat noch bis zum Vorliegen eindeutiger Zeug-
isse Zweifel an der bislang fraglos akzeptierten Identität des
Philip-Gregorio Riesentod«[14], des Unterzeichners der
orrede von 1658, mit Andreas Gryphius angemeldet. Da
erselbe Riesentod das Manuskript des *Peter Squentz* einem
einer Freunde, mit dem auch für Michelsen zweifellos
ryphius gemeint ist, zum Druck abgefordert haben will
. 5), gilt es vor allem das Verhältnis dieser beiden Personen
ueinander zu klären, um zu einer begründeten Entschei-
ung über die Verfasserfrage zu gelangen. Um es vorwegzu-
ehmen: Der in der Vorrede zitierte Freund ist tatsächlich
nit dem Unterzeichner Riesentod identisch. Beide Male
andelt es sich um Andreas Gryphius; das rätselhafte und
erwirrende Versteckspiel der Vorrede löst sich als eine der
n Barock beliebten Herausgeberfiktionen auf.

)en Beweis liefert ein bisher unbekanntes Hochzeitsgedicht
es Andreas Gryphius aus dem Jahre 1655 auf den ihm
efreundeten kurfürstlich-brandenburgischen Hofrat Ga-

---

3 Peter Michelsen, »Zur Frage der Verfasserschaft des ›Peter Squentz‹«, in:
uphorion 63 (1969) S. 54–65.
4 Wir behalten die Namensform »Gregorio« statt des Nominativs bei, da es
ch um ein noch ungelöstes Anagramm handeln könnte.

briel Luther[15], mit dem er zusammen in Leiden studiert ha
Auf dem Vorsatzblatt dieses mehrere Blätter umfassende
Konvoluts[16] – neben Gryphius haben noch andere Schlesi
auf diese Hochzeit Gedichte verfaßt – erscheint wiederu
der ominöse Riesentod als Verfasser eines Gabriel Luth
gewidmeten »Hirten-Gesprächs«[17], das Gryphius überr
schenderweise aber auch unter seinem richtigen Namen f
eine andere Hochzeit verwendet hat[18]. Abgesehen davo
daß Gryphius durch dieses neu aufgefundene Hochzeitsg
dicht einwandfrei als Verfasser des *Peter Squentz* identi
ziert ist, enthält das Vorsatzblatt des »Hirten-Gesprächs
eine weitere, bisher unbekannte biographische Informatio
Riesentod-Gryphius hat das Gabriel Luther gewidmete Ep
thalamion auch selbst »wolmeynend gehalten und schrift
lich übergeben«, was auf Gryphius' Anwesenheit auf d
am 7. Mai 1655 gehaltenen Berliner Hochzeit zu deute
scheint.[19] Für den Literaturhistoriker ist es reizvoll zu sp
kulieren, daß Gryphius 1655 zu dieser Hochzeit nach Berl

15 Zu Gabriel Luthers Biographie vgl. David Richter, *Genealogia Luth
rorum*, Berlin 1733, S. 65 ff. und 724 ff.
16 Die bisher bekannte Sammlung von Epithalamien auf Luthers Hochze
noch ohne Erwähnung des Namens »Riesentod«, findet sich in: Andre
Gryphius, *Lateinische und deutsche Jugenddichtungen*, hrsg. von Friedri
Wilhelm Wentzlaff-Eggebert, Stuttgart 1938 (Bibliothek des literarischen Ve
eins in Stuttgart, Bd. 287), S. 217 und 250 f. (Nr. 28). – Übrigens erwäh
Marian Szyrocki, *Der junge Gryphius*, Berlin 1959 (Neue Beiträge zur Lite
turwissenschaft, Bd. 9), S. 161, bereits die Existenz einer noch früher
Gryphschen Dichtung, datiert 24. August 1649 und ebenfalls signiert »Philip
Gregorius Riesentodt«.
17 »Hirten-Gespräch / Bey H. Gabriel Luthers / und J. Anna Rosina Weisir
Hochzeit / Wolmeynend gehalten und schrifftlich übergeben von Philip
Gregorio Riesentod. BERLIN / Gedruckt bey Christoff Runge / im Ja
1655.«
18 Vgl. Andreas Gryphius, *Gesamtausgabe der deutschsprachigen Werk*
hrsg. von Marian Szyrocki und Hugh Powell, Bd. 3: *Vermischte Gedicht*
hrsg. von Marian Szyrocki, Tübingen 1964, S. 150 ff.
19 Das Zeremoniell, das mit dem Vortrag solcher Hochzeitsgedichte i
Barock verbunden war, wird von Christian Reuter in seinem *Schelmuffsk*
(1696/97) köstlich parodiert; vgl. Ch. R., *Schmelmuffskys warhafftige curiö*
und sehr gefährliche Reisebeschreibung zu Wasser und Lande, hrsg. vo

reiste, dort dem jungen Brautpaar die zu einem solchen Ereignis üblichen Verse dedizierte, sie persönlich der Hochzeitsgesellschaft vortrug und anschließend zur Erinnerung im Druck überreichte.

Blieb es nur bei diesem vergleichsweise geringen literarischen Hochzeitsgeschenk? Die besonderen Umstände dieser Hochzeit lassen eine weitere, größere Arbeit vermuten: Das Fest wurde in Anwesenheit des Großen Kurfürsten begangen. Gryphius wäre also bei dieser Gelegenheit wieder dem ihm seit seinem Studienaufenthalt in Holland bekannten und geschätzten Monarchen [20] begegnet, dem er fünf Jahre zuvor sein Trauerspiel *Carolus Stuardus* gewidmet hatte. Als einem bei Hof eingeführten Poeten konnte Gryphius nichts gelegener sein, als sich bei dieser Hochzeit durch ein neues Werk in Erinnerung zu bringen, wenn man ihn nicht sogar darum gebeten hatte. Es liegt nahe, dabei an den *Peter Squentz* zu denken, da dessen pseudonymer Verfasser Riesentod buchstäblich mit dem des Gabriel Luther gewidmeten Hochzeitsgedichts identisch ist. Beide Male aber war ein solcher mit dem Namenwechsel verbundener Scherz nur denkbar, wenn dem Empfänger die Identität des Riesentod mit Gryphius bekannt war. Gabriel Luther muß also um diese scherzhafte Mystifikation seines Freundes gewußt haben. Und wie ihm Riesentod alias Andreas Gryphius das »Hirten-Gespräch« dediziert hat, so mag Luther aus den gleichen Gründen auch als Adressat des *Peter Squentz* eben desselben Riesentods in Frage kommen.

Begreift man den *Peter Squentz* unter diesen Voraussetzungen als Gelegenheitsdichtung, so erklärt sich die Umarbeitung der Schwenterschen Meistersingerkomödie aus der Wahl eines im Sujet passenden und spezifisch auf den Geschmack eines höfischen Publikums berechneten Stoffs.

Ilse-Marie Barth, Stuttgart 1964 [u. ö.] (Reclams Universal-Bibliothek, Nr. 4343 [3]), T. 1, Kap. 4, S. 80 ff.
20 Vgl. Willi Flemming, *Andreas Gryphius. Eine Monographie*, Stuttgart 1965 (Sprache und Literatur, Bd. 26), S. 63 ff.

Erst vor diesem Hintergrund eines intendierten höfischen Gelegenheitsspiels wird die Absicht deutlich erkennbar, weshalb Gryphius für die derbe Handwerkerfarce einen repräsentativen aristokratischen Rahmen wählte: es galt, das Rüpelspiel hoffähig zu machen! Mit dieser Wendung des Stoffs ins höfische Milieu und seinem Zuschnitt zum Hochzeitsspiel kehrt der *Peter Squentz* – sicher unwissentlich – zum ursprünglichen Shakespeareschen Konzept des *Sommernachtstraums* zurück. Wie dort das Pyramus-Thisbe-Thema von der Handwerkergruppe zur Hochzeit von Theseus und Hippolyta als Stegreifkomödie inszeniert (»to play in our interlude before the duke and duchess on his wedding-day at night«; I,2) und dann im Rahmen des übergreifenden Feenmärchens als Gelegenheitskomödie anläßlich der Hochzeit der Mutter des Earls von Southampton[21] auch tatsächlich aufgeführt wird, so präsentiert sich auch bei Gryphius die Liebesthematik in der Tragikomödie von Pyramus und Thisbe als hintergründiger Hochzeitsscherz. Daß sich diese unerwartete Pointierung, die in Gryphius einen Kenner des *Sommernachtstraums* vermuten ließe, auf andere Weise erklärt, wurde schon erwähnt: auch in der von Johann Rist beschriebenen Fassung der Wanderbühne dient die königliche Hochzeit ja bereits als Rahmen. Wenn Gryphius also in der Vorrede seines *Peter Squentz* erwähnt, daß die Erstaufführung »nebens einem seiner Traurspiele« (S. 5) erfolgt sei, so wird man bei diesem für die damalige Zeit keineswegs ungewöhnlichen Nebeneinander[22] von Tragödie und burlesk-komischem Interludium nur an den *Carolus Stuardus* zu denken haben, den Gryphius schon einige Jahre zuvor dem Großen Kurfürsten gewidmet hatte. Beide

21 Vgl. Jan Kott, *Shakespeare heute*, München 1964, S. 110 f.
22 1647 wurde in Altenburg Gryphius' Trauerspiel *Papinian* zusammen mit seinem Lustspiel *Horribilicribrifax* als Interludium aufgeführt; vgl. Conrad Höfer, *Die Rudolstädter Festspiele aus den Jahren 1655–67 und ihr Dichter*, Leipzig 1904 (Probefahrten, Bd. 1), S. 202.

Stücke erschienen übrigens zwei Jahre nach den Berliner Festlichkeiten 1658 auch zusammen im Druck.

Neben der hypothetischen Berliner Erstaufführung erlebte der *Peter Squentz* nachweislich weitere Aufführungen zu Hoffestlichkeiten – so 1672 am Dresdener Hof, 1680 auf dem Schloß zu Torgau und 1730 auf dem Heidelberger Schloß[23] –, die seine Beliebtheit beim höfischen Publikum mit Sicherheit unter Beweis stellen. Daran zeigt sich umgekehrt, wie präzise Handlung und Sujet auf den höfisch-repräsentativen Rahmen abgestimmt sind und von diesem wechselseitig in Ausdruck, Komik und Personenkonstellation bedingt werden. Dieser konstituierenden Rolle der höfischen Gesellschaft entspricht das adlige Publikum des vorliegenden Stücks als ein tragendes Spielelement; das Amüsement über die Anschläge der Meister (Cassandra: »ich habe gelacht / daß mir die Augen übergehen«; S. 47) kann daher offen und für das reale Publikum animierend zur Schau gestellt werden. Die Rolle der »zusehenden Personen« erschöpft sich jedoch nicht in dieser stimulierenden Wirkung, sie ist vielmehr für die Entstehung des Komischen unabdingbar, denn das unfreiwillige Possenspiel der Handwerker, ihre derben Umgangsformen und ihr lächerlicher Bildungsdünkel werden überhaupt erst in der Distanz zur höfischen Etikette und dem überlegenen Esprit des adligen Honnête homme sichtbar, um dann auf dieser Ebene als komisch reflektiert zu werden. Die Ständeklausel der barocken Poetik, die dem Trauerspiel den hohen und der Komödie den niederen Stand zuordnet, ist denn auch nur scheinbar verletzt. In der strikten Trennung von Spiel- und Reflexionsebene ist der Ständegegensatz ausdrücklich festgehalten, wie er aus der sozialen Schichtung des absolutistischen Staates resultiert.

Der Versuch, diese gleichsam naturgegebene Abgrenzung der Stände zu durchbrechen, bietet deshalb alles andere als

23 Vgl. Willi Flemming, *Andreas Gryphius und die Bühne*, Halle 1921, S. 325.

einen Ansatzpunkt für sozialkritische Thematik. Der bramarbasierende Squentz, der sich als »der vornehmste Mann in der gantzen Welt« aufspielt (S. 21), seine groteske Gelehrsamkeit (»Jch bin ein Universalem, das ist in allen Wissenschaften erfahren«; S. 20), seine übertriebene Nachahmung des höfischen Benehmens, sein plump-vertraulicher Umgang mit dem »Junker König« – all diese Züge, in denen er sich den höfischen Umgangsformen anzupassen sucht, dienen nur zur Entlarvung ständischer Überspanntheit. Die von Peter Squentz verletzte gesellschaftliche Konvenienz wird damit zum komischen Vorwurf. Die ebenfalls ständisch gebundene Sprache reagiert gegenüber diesem sozialen Fehlverhalten am verräterischsten. Wenn der Hof die Ausdrucksweise der Handwerker parodiert, diese hingegen den gewählten Ton der höfischen Umgangssprache in ihren Komplimenten nachzuahmen versuchen, dann erzeugt diese Überschneidung der ständischen Sondersprachen eine heute nur noch schwer wahrzunehmende Komik.

Nach der Spielvorbereitung der Meister und dem Auftritt des Peter Squentz bei Hofe im ersten und zweiten Aufzug erreicht die Komödie ihren Höhepunkt mit der Aufführung des Spiels von Pyramus und Thisbe. Wenn den Meistern trotz allen Eifers der bei Ovid tragisch angelegte Stoff zur unfreiwilligen Persiflage gerät, so ist es nicht nur diese verdiente Blamage, über die sich das Publikum auf und vor der Bühne amüsiert. Das Spiel im Spiel wird darüber hinaus durch weitere komische Wirkungselemente strukturiert: Die »Säue« der Meister unterbrechen als Situationskomik die Spielhandlung, um an diesen Stellen das Squentzsche Ensemble ins Gespräch mit den kommentierenden Zuschauern zu bringen; die Verballhornung der höfischen Liebesmetaphorik, Amors Pfeil in Pyramus' Hintern und die holprigen Knittelverse leiten zur Sprachkomik über. Reste der Gelehrtensatire werden in der Unvertrautheit der Meister mit der einfachsten Bühnenregeln erkennbar. In der wiederholter Spiegelung von theatralischem Schein und Realitätsbezug und in der ständigen Durchbrechung der fiktionalen Handlung – unbewußt durch die Handwerker, indem sie aus der Rolle fallen, absichtlich in den sarkastischen Kommentaren der Zuschauer – wird mittels Verfremdungstechnik eine neue Ebene des Komischen erreicht. Indem das Spiel sich als Spiel selbst thematisiert, faßt es die unterschiedlichen komischen Momente zu einer Einheit zusammen. Gerade in dieser das Spiel im Spiel perspektivierenden Komik, die den doppelten Rahmen des fiktiven und realen Zuschauerraums ins Weite öffnet und die die Grenzen von Sein und Schein durch Illusion und Desillusionierung verwischt, realisiert sich die barocke Metapher vom Theatrum mundi.

Inhalt

Barockliteratur

IN RECLAMS UNIVERSAL-BIBLIOTHEK (AUSWAHL)

Abraham a Sancta Clara: *Wunderlicher Traum von einem großen Narrennest.* Hrsg. v. Alois Haas. 6399

Angelus Silesius: *Aus dem Cherubinischen Wandersmann und anderen geistlichen Dichtungen.* Auswahl Erich Haring. 7623

Johann Beer: *Printz Adimantus und der Königlichen Princeßin Ormizella Liebes-Geschicht.* Hrsg. v. Hans Pörnbacher. 8757

Jakob Bidermann: *Cenodoxus.* Deutsche Übersetzung v. Joachim Meichel (1635). Hrsg. v. Rolf Tarot. 8958 [2]

Paul Fleming: *Gedichte.* Hrsg. v. Johannes Pfeiffer. 2454

Gedichte des Barock. Hrsg. v. Ulrich Maché u. Volker Meid. 9975 [5]

Hans Jakob Christoph von Grimmelshausen: *Der abenteuerliche Simplicissimus Teutsch.* Einleitung u. Anmerkungen Hans Heinrich Borcherdt. 761 [8] – *Lebensbeschreibung der Erzbetrügerin und Landstörzerin Courasche.* Hrsg. v. Klaus Haberkamm u. Günther Weydt. 7998 [2] – *Der seltzame Springinsfeld.* Hrsg. v. Klaus Haberkamm. 9814 [3]

Andreas Gryphius: *Absurda Comica oder Herr Peter Squenz.* Schimpfspiel. Hrsg. v. Herbert Cysarz. 917. Kritische Ausgabe: Hrsg. v. Gerhard Dünnhaupt u. Karl-Heinz Habersetzer. 7982 – *Cardenio und Celinde Oder Unglücklich Verliebete.* Trauerspiel. Hrsg. v. Rolf Tarot. 8532 – *Carolus Stuardus.* Trauerspiel. Hrsg. v. Hans Wagener. 9366 [2] – *Catharina von Georgien.* Trauerspiel. Hrsg. v. A. M. Maas. 9751 [2] – *Gedichte.* Auswahl Adalbert Elschenbroich. 8799 [2] – *Großmütiger Rechtsgelehrter oder Sterbender Aemilius Paulus Papinianus.* Trauerspiel. Text der Erstausgabe, besorgt v. Ilse-Marie Barth. Nachwort Werner Keller. 8935 [2] – *Horribilicribrifax Teutsch.* Scherzspiel. Hrsg. v. Gerhard Dünnhaupt. 688 [2] – *Leo Armenius.* Trauerspiel. Hrsg. v. Peter Rusterholz. 7960 [2]

Philipp Reclam jun. Stuttgart